D1230886

Moi, Jésus

Gilbert Sinoué

Moi, Jésus

ROMAN

Albin Michel

1

Quelque part en Judée. 26 du mois de nisân, de la 3790ᵉ année de la création du monde*.

Écrire.
Écrire tant que ma main puisera la force de courir sur le papyrus. Écrire pour que l'on se souvienne. Écrire pour les mettre en garde, car je pressens l'orage. Écrire, afin que ceux qui me liront comprennent que je n'ai rien voulu de ce qu'ils voudront.
J'entends.
J'entends encore le crissement des épines qui broient les rides de mon front. Les coups de marteau qui battent contre mes tempes, mêlés au fracas des cris jaillis des entrailles de Judée, de Samarie et de Galilée. Le vent s'était levé. Les nues voilaient le soleil. Et le bois acide de la croix râpait les lambeaux de ma chair.

---

* 19 avril 30 de notre ère. Dans le calendrier hébraïque, l'an 1 correspond à la date supposée de la création du monde.

Ma chair, béance misérable, pertuis ouvert sur la mort.

J'entends, j'entends toujours le son mat du premier clou se frayant un passage entre les veines de mon poignet, métal froid, l'hiver dans mon sang. Le vent s'était mis à hurler et giflait mon visage.

Eli, Eli, lama sabactani ? Est-ce bien moi qui ai prononcé ces mots ?

Adonaï, pourquoi m'as-tu abandonné ? À toi se confiaient nos pères, et tu les délivrais. Et moi ? Moi, je suis un ver et non un homme, l'opprobre des hommes et le méprisé du peuple. Tous ceux qui me voient se moquent de moi. Tu m'as extirpé du ventre maternel, tu m'as mis en sûreté sur les mamelles de ma mère. Et aujourd'hui, voilà que des taureaux de Basan me cernent. Ils ouvrent contre moi leur gueule, semblable à celle du lion qui déchire et rugit. Je suis comme l'eau qui s'écoule, et tous mes os se disloquent. Mon cœur est comme de la cire, il fond dans mes entrailles. Ma force se dessèche comme l'argile, et ma langue s'attache à mon palais. Tu me réduis à la poussière de la mort, sous l'œil des chiens qui m'environnent. Ils ont percé mes mains et mes pieds. Je pourrais compter tous mes os. Eux, ils m'observent et me dévisagent. Ils se partagent mes vêtements. Ils tirent au sort ma tunique. Ma vie contre le pouvoir des chiens !

C'était à peu près la neuvième heure.

J'étais seul. Abandonné de tous. Ou presque.

Où était Pierre ? Jean et son frère Jacques que j'appelais les fils du tonnerre ? André ? Philippe ? Barthélemy ? Matthieu ? Où étaient-ils ? En quelle tanière ? Tapis, recroquevillés comme des mèches mourantes.

Ils n'ont rien compris.

En vain, mes pupilles dilatées les ont cherchés dans la foule rassemblée et grotesque sur ce mont du Crâne. Personne. Déserteurs. Tous avaient fui comme des femmes effarouchées, alors même que les femmes ne m'avaient point abandonné. À travers mes plaies, mon sang, les femmes je les ai vues. J'ai vu la Magdaléenne. J'ai vu Myriam et sa sœur Marthe. Salomé, la mère des frères Zébédée. Jeanne, l'épouse de Khuza, l'intendant d'Hérode Antipas ; Marie de Clopas et d'autres. Rien que des femmes. Et ma mère. Oh ! mon enfant ! Ma mère crucifiée dans mon ventre. Orpheline implorante, le cœur éclaté. Marie, âme de mon âme. Elle savait. Elle a toujours su que cette heure viendrait. Par ce lien invisible qui lie la mère et le fils, elle savait. *Ils n'ont plus de vin.* Ma mémoire se souvient. Elle avait chuchoté cette phrase à Cana, lors du mariage de la fille de Nathan. *Ils n'ont plus de vin.* Et moi ? Moi, j'aurais donc eu le pouvoir d'y changer quoi que ce soit ? Femme, ô femme ! Qu'y avait-il entre nous pour que tu lises les mots que je ne voyais pas, ces lettres gravées dans l'invisible dalle que foule le pas des hommes ?

Déserteurs ! Les treize ! Sans exception.

« Je frapperai le berger, et les brebis du troupeau seront dispersées. »

Personne. Que mes frères et mes sœurs [1] ne fussent pas là, quoi de plus naturel ? Ne m'ont-ils pas toujours méprisé ? À leurs yeux, j'étais fou. Mais les autres ? Personne.

---

1. Voir p. 285.

Seul, alors que je traînais cette traverse de bois infâme dans les venelles encrassées de poussière. Seul, sous les vociférations des légionnaires et les aboiements des miliciens du Temple. Seul, sous les crachats et les insultes.

Seul ou presque, car, après avoir franchi la porte d'Éphraïm, il y avait eu cet homme. Bousculé par la soldatesque – à moins que ce fût de son propre gré ?, il est venu me soulager de mon fardeau et m'a aidé à gravir la pente jusqu'au Golgotha où m'attendait le tronc d'olivier [2]. J'ignore son nom. Ce n'est pas lui que j'attendais à ce rendez-vous, mais Képhas. Simon-Pierre. L'homme de Bethsaïde. Le fier pêcheur de Galilée qui dominait de sa stature les flots du lac de Génésareth. Képhas. Je le croyais un roc, il n'était que sable. Trahison. Trahison. « Je te le dis : cette nuit même, avant que le coq chante, tu me renieras trois fois. » Et il s'était défendu : « Quand il me faudrait mourir avec toi, je ne te renierais pas ! » Et tous avaient clamé la même chose. Seul…

Seul, lorsque, je ne sais pour quelle raison, un légionnaire transperça mon flanc de la pointe de sa lance [3]. Dans l'instant, je crus que l'on plaquait un tison sur ma peau. Ne pas crier. Taire la douleur et la broyer au-dedans pour que rien ne sorte. Rien que je n'eusse souhaité. Pourquoi ce coup de lance ? Un outrage de plus appliqué à mon corps humilié ? Ajouter à la souffrance une souffrance plus violente encore ? Tant qu'à faire, il eût été préférable que l'on me brisât les tibias

---

2. Voir p. 286.
3. Voir p. 287.

pour que se hâte la mort. On l'avait bien fait aux deux autres. Ces deux miséreux cloués comme moi, à ma droite, à ma gauche. Craquements de branche sèche. Hurlements. Ultimes obscénités. Ils ont rendu leur âme au Père, le temps de quelques battements de paupières. Des halètements de bête aux abois. Puis, plus rien. Non. L'un d'eux, je ne sais lequel, s'est écrié : « Souviens-toi de moi, quand tu viendras dans ton règne ! » Étrange. Il ne suppliait pas. Il ordonnait.

Seul dans Jérusalem.

Jérusalem. Cité de David. Naufragée. Humiliée. Vaincue. Outragée par Rome. Défigurée par les Grecs. Jérusalem, Jérusalem, qui tues les prophètes et lapides ceux qui te sont envoyés, combien de fois ai-je voulu rassembler tes enfants, et tu ne l'as pas voulu ! Ils n'ont rien compris.

Il me souvient qu'en ce jardin de Gethsémani qui embaumait les mille parfums d'avril, je frissonnais de peur. La peur, pourtant, ne m'était pas étrangère ; je croyais l'avoir apprivoisée. Mais ce soir-là, c'était différent. Pour mieux me terroriser, elle avait pris l'apparence du monde. Hideuse. Les orbites enténébrées. Rien que des cavités dans lesquelles s'engouffrait le sanglot des étoiles. Même les oliviers, au bois pourtant si rude, gémissaient d'effroi. Et les ombres éclatées se chuchotaient la nouvelle à l'infini : « Il va mourir. Le fils de l'homme va mourir. »

À quelques pas de là, les autres dormaient à poings fermés.

À quel moment les torchères chassèrent-elles le silence ? La milice du Temple. Combien étaient-ils ? Dix ? cent ? Je ne vois que leurs bâtons, leurs dagues.

Ce fut aussitôt la débandade. Malchus, le chef des miliciens, voulut se saisir de Jean. Il l'agrippa par la manche de sa robe. Pris de panique, Jean réussit à se débarrasser de son vêtement et prit ses jambes à son cou, nu comme l'Éternel l'a créé. Certes, Simon-Pierre, dans un de ces élans impétueux dont il est coutumier, tenta de s'interposer. C'était absurde. Comme était absurde cette arrestation. Ils étaient venus, en pleine nuit, comme des voleurs, pour s'emparer de moi, alors que j'étais tous les jours parmi eux et qu'ils auraient pu me saisir cent fois.

Écrire... écrire. Écrire pour que l'on se souvienne. Sinon, qui se souviendra ? Ni les hommes, ni les fleurs, pas le moindre petit grain de sable du désert, ni les flots si lourds de la mer Morte, aucun arbre, il ne restera aucune trace de mon histoire. La vie est brève. Si brève...

Un bruit de pas...

Les revoilà.

Dans un instant, la porte s'ouvrira.

Ce sont eux.

L'unique flamme, qui éclaire la pièce sans fenêtre, vacille.

– La paix sur toi, Yeshûa.

Nicodème a parlé le premier. Joseph d'Arimathie est resté sur le seuil. C'est lui qui désigne la cruche posée sur la table.

– Te reste-t-il de l'eau ?

– Oui. Mais il me faudra encore de l'encre et du papyrus.

Nicodème fait un pas en avant et s'installe sur l'un des

12

deux tabourets qui meublent la pièce. Il n'a pas quarante ans, mais ressemble à un vieillard. Sans doute à cause de cette barbe grise qui lui mange les joues. Joseph, lui, est ce qu'il est : un homme dans la cinquantaine. Un peu voûté, un peu ventru. Une barbe, lui aussi, mais soigneusement taillée. Tous deux portent la robe des prêtres du Sanhédrin. Ce tribunal qui a prononcé la condamnation du fils de l'homme.

– À quoi te sert d'écrire ? Pour qui ?

Jésus dévisage ses visiteurs sans répondre. Le regard est glacial. Alors Nicodème poursuit :

– Comment te sens-tu aujourd'hui ? Tes plaies ?

Jésus observe d'un œil vague ses pieds. Juste une auréole parme. Curieusement, il n'éprouve aucune douleur. Ses poignets qui, normalement, auraient dû être meurtris à jamais, ont recouvré leur entière mobilité. On entrevoit à peine la marque creusée par les clous.

– J'ai apporté des onguents pour ton dos, annonce Joseph d'Arimathie.

Il s'approche.

– Veux-tu ôter ta tunique ?

Jésus s'exécute, sans un mot.

Il est nu.

Le prêtre soulève le couvercle d'un pot en terre.

– C'est une préparation à base de miel. Tu verras, tu souffriras moins.

– Je ne souffre plus, lâche Jésus. Plus de mon corps.

Joseph a un mouvement de recul. Les stries violacées qui, hier encore, zébraient la peau ont presque toutes disparu.

Il lance un coup d'œil effaré en direction de Nicodème.

Le palais de Pilate baignait dans une lumière bleutée. On l'avait traîné, puis attaché à une colonne. Il ne se souvenait que des premiers coups de fouet. Après, ç'avait été le vide. Peut-être avait-il perdu connaissance ? Pourtant, non. Il y avait eu les crachats, les injures, le roseau planté dans sa main en guise de sceptre, et les clameurs. Oh ! ces clameurs. Non, il n'avait pas perdu connaissance. Ensuite, les épines, enfoncées dans son crâne à coups de poing. Et le sang. Du sang plein les yeux.
– Voici l'homme !

Dans un mouvement brusque, Jésus s'écarte et récupère sa tunique.
– Il suffit !
– Comme tu voudras, articule péniblement Nicodème.
Sa main tremble un peu lorsqu'il referme le pot.
– Fait-il jour ? interroge Jésus.
– L'aube point.
– Me direz-vous enfin où nous sommes ?
Nicodème laisse échapper un soupir.
– Rabbi, le premier jour, tu as posé la question. Le deuxième, nous t'avons répondu : quelque part. En lieu sûr.
Il interroge sur sa lancée :
– As-tu réfléchi ?
– J'aurais dû ?
– Allons, sois raisonnable. Je t'en prie. Il n'existe pas d'autre issue que celle que nous t'avons proposée. Une embarcation t'attend à Jaffa. Tu...

– Raisonnable ? L'enfermement à vie ou l'exil !
Un éclair de feu traverse l'œil du fils de l'homme.
– Pourquoi ?
Nicodème intervient :
– Ah ! Cet entêtement, toujours. Vois où il t'a conduit
aujourd'hui !
– Pourquoi ?
– Pourquoi, pourquoi, pourquoi ! Tu n'as donc que ce
mot à la bouche ?
Un long silence.

*Ce goût infâme de vinaigre et d'eau qui ne se résout pas à
quitter sa bouche. Dans une demi-brume, il revoit l'éponge
posée au bout d'un roseau que lui avait tendu ce légionnaire
pour étancher sa soif. Il avait tété la mixture avec l'ardeur
d'un nourrisson.*

Dehors, on pressent que le ciel rougeoie.
Toujours le silence. Le fils de l'homme lève la tête.
– Vous m'avez volé ma mort.
– Absurde ! proteste Nicodème. Absurde et injuste.
Nous t'avons sauvé la vie, ce n'est pas la même chose. Si
nous n'étions pas intervenus auprès du préfet...
– Pilate...
Un sourire ironique apparaît sur les lèvres de Jésus.
– Il a accepté ? Sans rechigner ?
– Bien sûr que non. Pas sur-le-champ. Il a commencé
par être surpris. Il s'est exclamé : « Il est déjà mort ? » Et
pour cause. Tu n'étais en croix que depuis moins de trois
heures. Aucun crucifié ne meurt dans un délai aussi bref

J'en ai vu qui ont tenu trois jours. Certains beaucoup plus. Pourquoi crois-tu que l'on soit contraint de leur briser les tibias, si ce n'est pour accélérer le trépas ? Alors, dans le doute, il a envoyé un légionnaire vérifier. Celui-ci a percé ton flanc à l'aide de sa lance, sans doute pas assez profondément, car c'est un miracle que tu en aies réchappé. Nous avons eu très peur.

Instinctivement, Jésus porte la main sur son côté, juste à la naissance du poumon droit. Point de trace. Point de douleur non plus.

— Ensuite ?

Nicodème exprime à nouveau son exaspération :

— Tu sais tout ! Nous ne t'avons rien caché.

— Encore...

— Tu n'as pas réagi au coup de lance. Le soldat est donc revenu chez Pilate et lui a confirmé ton décès. Joseph et moi, nous nous sommes aussitôt rendus sur le mont du Crâne. Il pleuvait. Le ciel était noir. On ne voyait plus le soleil. On aurait dit la fin des temps. Aidés par des amis, armés de tenailles et d'une échelle, nous t'avons décroché de la croix. Nous t'avons lavé et avons enduit ton corps d'aromates. En prévision, j'avais apporté cent livres de myrrhe et d'aloès. Ensuite, nous t'avons enroulé dans un linceul et placé dans le tombeau, propriété de Joseph.

— Pourtant, tu me savais vivant.

Nicodème chuchote un oui gêné.

— Au plus mal, mais vivant. Joseph et moi étions les seuls à savoir.

— Alors, pourquoi les aromates ? le linceul ?

16

– Pour donner le change. Sinon, les légionnaires t'auraient achevé. Nous avons pris de gros risques.

– Et pourquoi cet empressement ?

Joseph d'Arimathie se hâte de répondre :

– Souviens-toi. Nous étions la veille de shabbat. Comme
tu le sais, il faut que les rites de purification soient accomplis avant le coucher du soleil. Le contact...

Jésus poursuit à sa place :

– ... le contact avec un cadavre constitue une cause
majeure d'impureté et il est prescrit à tout Juif de se retirer
dans l'enceinte de la ville avant la nuit tombée.

– Alors, imagine deux membres éminents du Sanhédrin,
ce même tribunal qui t'a condamné, affairés comme deux
vulgaires fossoyeurs. Moi, passe encore...

Il opère une volte vers son compagnon :

– Mais Joseph, le propre conseiller de Caïphas ! Le chef
du Sanhédrin ! Oui. Nous avons pris de gros risques. Nous
t'avons sauvé la vie, rabbi. Tu devrais nous en savoir gré.
Le lendemain, défiant une fois encore toutes les prescriptions du shabbat, nous sommes revenus te prendre. Tu étais
presque agonisant quand nous t'avons amené ici. Un thérapeute t'a soigné jour et nuit. Tu étais brûlant de fièvre.
Pendant longtemps tu as oscillé entre la vie et la mort...

Jésus se dresse d'un seul coup.

– Vous n'avez toujours pas répondu à ma question :
pourquoi ?

Les deux pharisiens échangent un regard comme s'ils se
concertaient. Nicodème se décide à répondre sur un ton
calme, presque détaché.

– Il est curieux que tu t'interroges sur nos motivations.

Nous n'étions pas d'accord avec le Sanhédrin. Tu es innocent des crimes dont ils t'ont accusé. Tu ne méritais pas cet horrible châtiment. D'ailleurs, ne t'ai-je pas prouvé dans le passé que j'adhérais à tes discours ?

Jésus hausse les épaules.

– Parce que tu es venu me rendre visite, une nuit, comme un homme honteux s'introduit en douce chez une fille de mauvaise vie ?

Nicodème proteste :

– Tu es injuste. Je t'ai déclaré avec mon cœur : « Rabbi, nous savons que tu es un docteur venu de Dieu, car personne ne peut faire ces miracles que tu fais, si Dieu n'est avec lui. » Et après cette nuit, n'ai-je pas pris ta défense en public, au vu et au su de tous ? N'ai-je pas pris ta défense, alors que tu étais critiqué de toutes parts et qu'on cherchait, déjà, à t'arrêter ? Je t'ai montré que j'étais ton allié.

Jésus rétorque, la voix impérieuse :

– Si tu es mon allié, laisse-moi libre de partir d'ici !

– Tu ne sais pas ce que tu dis ! s'affole Joseph. Ne vois-tu pas qu'en retournant à Jérusalem, tu briserais tous les rêves que tu as éveillés dans le cœur de milliers de gens ? As-tu seulement conscience de l'espoir immense que tu as soulevé ? Toutes ces femmes, ces hommes, ces humbles, tous ceux qui n'attendaient plus rien du monde. Tu…

Le fils de l'homme l'interrompt net :

– De quoi parles-tu ?

Nicodème plonge ses prunelles dans les yeux fauves de Jésus.

– « Le fils de l'homme doit être livré entre les mains des

18

hommes ; ils le feront mourir, et le troisième jour il ressuscitera. » Ce sont bien tes mots ? tes propres mots ?

– J'ai peur de comprendre...

Un cri, un ricanement, résonne dans le lointain. Une hyène sans doute.

Le prêtre poursuit :

– Ceux qui t'aiment ont trouvé le tombeau vide. Désormais, ils sont convaincus que tu es ressuscité. Pour eux, plus aucun doute n'est permis. Tu es le Messie. Tu es le libérateur d'Israël. Tu m'entends, Jésus ? *LE MACHIAH* ! Celui que nous guettions depuis des siècles. Prophétisé par Isaïe et Jérémie. La promesse incarnée faite à David...

Il cite, voix vibrante :

– « Quand tes jours seront accomplis et que tu seras couché avec tes pères, j'élèverai après toi ta postérité, celui qui sortira de tes entrailles, et j'affermirai son règne. » Non, Jésus. En retournant au monde, tu retournes à la vie. Et en retournant à la vie, tu tueras tous ceux qui sont nés dans tes yeux. Nés par ta volonté, dans l'eau et l'Esprit.

Nicodème prend une courte inspiration avant de conclure :

– Tu n'as pas le choix, rabbi.

– Un tombeau vide ! Mes disciples sont-ils assez niais pour se satisfaire de cet argument ?

Nicodème se lève et fait signe à son compagnon de le suivre.

– Où allez-vous ? Répondez-moi ! Pour croire en ma résurrection, il aurait fallu que l'on me voie, que des gens témoignent ! Que l'on me touche !

Ils vont franchir le seuil. Jésus tente de leur barrer le passage.

– Répondez-moi !

Deux soldats, l'épée au flanc, ont surgi, prêts à intervenir. L'un d'entre eux se distingue par une infirmité flagrante : son oreille droite n'est qu'un bourrelet.

Joseph les rassure d'un geste de la main.

– Tu veux savoir ?

Le prêtre médite un instant bref.

– Tu leur es apparu, rabbi.

Jésus vacille. Il prend appui sur le chambranle.

– C'est impossible ! Je n'ai jamais quitté cet endroit. Vous le savez !

– C'est pourtant ce qui s'est passé.

Il articule avec force :

– Tu leur es apparu.

Sur un signe de Nicodème, les gardes repoussent Jésus dans la pièce.

Les deux prêtres s'éclipsent.

La porte se referme.

2

Le même soir Jérusalem. Ancien palais des Hasmonéens.

La nuit est là. La chaleur creuse les vallées et les monts et se plaît à embraser la chambre à coucher du préfet.

Les membres couverts de sueur, Pilate se dresse sur son lit et jette un œil vers son épouse endormie.

Comment fait-elle ?

Il étouffe. Il se lève et va vers la terrasse. D'ici, du haut de la colline occidentale, on peut apercevoir le Temple dans toute sa magnificence, l'ombre grise de la forteresse Antonia, la porte de Jaffa et le quartier ouest de la ville. Une ville ? songe Pilate. Non. Un cratère toujours prêt à vomir sa lave.

Il déteste ce pays, ces Juifs et leurs querelles. Ah ! si seulement il avait su ! Voilà quatre ans qu'il a remplacé ce brave Valerius Gratus. Quatre années à essayer de décrypter cette terre, ses croyances, ses contradictions, et surtout ses sectes. Un vrai casse-tête.

Les sadducéens, d'abord. Une clique de privilégiés issue des familles riches. Conservateurs à outrance. La Loi écrite, rien que la Loi écrite. Ils dorment et se réveillent au pied de la lettre.

Les pharisiens, plus tolérants ceux-là et plus ouverts. Les idées qu'ils ont adoptées, telles que la résurrection, l'immortalité de l'âme ou l'existence des anges, font pousser de hauts cris à leurs rivaux sadducéens. Ils croient, eux, à une Loi orale qui viendrait compléter la Loi écrite. Loi orale, Loi écrite ! Quel emmêlement ! Et entre ces deux rivalités, on trouve les zélotes. Des rigoristes prêts à faire usage de la violence pour imposer la séparation entre Israël et les « gens des nations », c'est-à-dire le reste du monde connu.

Et dans cette nébuleuse, on voit surgir sporadiquement thaumaturges et magiciens de toutes sortes.

Pilate caresse machinalement son menton. N'aurait-il pas oublié un élément dans sa remémoration ? Mais si, bien entendu ! Les prêtres ! Plus de sept mille, dit-on, rien qu'à Jérusalem, et autant qui tournicotent à travers le pays.

Répartis en vingt-quatre classes de trois cents hommes, ils desservent le Temple à tour de rôle, chacun pendant une semaine, à raison d'une cinquantaine par jour. N'étant pas rémunérés, ils prélèvent la part qui leur revient – et non des moindres – sur les offrandes. Quelle obsession de la pureté que la leur ! Lavage des cruches, lavage des coupes, lavage des plats. À leurs yeux, tout est souillure. Même le vent qui souffle est scruté et jugé. Tout sol en dehors d'Israël est frappé d'impureté, et par conséquent tout étranger. Il faut les voir se chamailler des heures entières pour décider si l'on a le droit de manger du pain cuit dans un four de bois coupé par des non-Juifs, si les tisserands peuvent glisser leur trame dans une navette construite par des mains païennes ; discutailler indéfiniment avant de décréter quel laps de temps devrait s'écouler avant de boire du lait si l'on a mangé de la viande. Plus ridicule encore, cette interdiction de consommer un œuf sous prétexte qu'il aurait été pondu le jour du shabbat ! Tout compte fait, Pilate n'est pas mécontent de la décision qu'il a prise de confisquer entre chaque cérémonie le vêtement du grand prêtre et son pectoral enchâssé de pierres précieuses. Une façon comme une autre de rappeler la primauté de Rome.

Ah ! les prêtres ! Exigences de chaque instant. Menaces. Chantage ! Une dizaine de jours plus tôt, ne l'ont-ils pas forcé à condamner à mort cet homme de Nazareth ? Ce Jésus.

Pilate grimace. Quelle histoire pour rien ! Ce Galiléen ne représentait qu'une poignée d'illuminés. Le Messie ! L'envoyé d'un dieu juif unique. Un roi parfait. On nageait dans l'ineptie. D'ailleurs, où était le blasphème dans un pays où chaque matin se lève un énergumène qui se prend pour un envoyé des cieux ? N'importe qui est capable de se proclamer roi dès qu'il prend la tête d'une bande de rebelles. Et s'ils ne provoquent, heureusement, que des dommages sans importance dans les troupes romaines, il n'en est pas de même pour le peuple qui subit de plein fouet ces outrages. Il y a à peine quelques années, n'avait-on pas vu se dresser ce Judas de Gamala ? Opposé au versement des impôts, ce gredin, soutenu par une foule impressionnante, s'était lancé à l'assaut des villes et des villages au cri de : « Nous n'avons pas d'autre maître que Dieu, nous ne devons pas payer le tribut à César ni reconnaître son autorité ! » Il était parvenu à saccager les arsenaux royaux de Sepphoris, s'attaquant à tous ceux qui lui disputaient le pouvoir.

Il y avait eu aussi ce Theudas qui se prenait pour le Messie et aspirait au titre de roi des Juifs. Et avant lui, en l'an 37 de l'ère d'Actium, après la mort d'Hérode le Grand, Valerius Gratus avait dû mater un soulèvement provoqué par le recensement qu'il avait organisé.

Roi des Juifs...

– Tu ne dors pas ?

– Non, Claudia. Il fait trop chaud.

Un froissement de draps.

Claudia Procula vient retrouver son mari et, comme lui, laisse un instant errer son regard sur la ville.

– Comme tout est calme. On se croirait à Césarée.

Elle ajoute très vite :

– Sans la mer.

– Rassure-toi. Demain, nous serons rentrés. Faut-il qu'à chacune de leurs fêtes ma présence soit indispensable ?

Dans un geste affectueux, elle passe sa main sur la nuque de Pilate.

– N'est-ce pas le lot de tout préfet... ? As-tu des nouvelles de Rome ?

– Rien de neuf. Tibère se prélasse toujours à Capri. Lucius Sejanus gouverne.

– Je voulais parler de ton avenir.

– Il dépend de Lucius. Tant qu'il sera le protégé de Tibère, et moi son protégé, nous n'avons rien à craindre.

Il pivote brusquement vers sa femme.

– Pourquoi ces questions ? Serais-tu inquiète ?

Elle secoue la tête. Il insiste :

– Je te trouve bien mélancolique depuis quelque temps. Pour être précis, depuis le jour où tu as rêvé de ce Jésus. Je me demande encore pour quelle raison tu t'es permis de m'interrompre en plein prétoire pour me souffler à l'oreille : « Qu'il n'y ait rien entre toi et ce juste, car aujourd'hui j'ai beaucoup souffert en songe à cause de lui. »

– Je ne le sais pas moi-même. L'intuition sans doute. Quelque chose d'inexplicable.

– Ne serait-ce pas plutôt l'ennui ?

– L'ennui ?

– L'atmosphère de ce pays est si pesante. J'observe comment tu vis : Césarée, Jérusalem. Jérusalem, Césarée. Point d'amies ou si peu. Alors, le plus petit événement se produit et tous nos sens sont en éveil.

– Détrompe-toi. Il ne s'agissait pas d'un « petit événement ». J'ai croisé des hommes dans ma vie. Aucun ne ressemblait à celui-là.

– Grand de taille, c'est vrai ; des yeux expressifs, certainement. Mais pour le reste ?

Il se reprend très vite :

– Je plaisante.

– Tu as eu tort de le condamner.

– Tort ? Tu as vu comme moi cette foule déchaînée, et tu as aussi été témoin de la hargne des prêtres. Ils m'ont piégé.

Claudia ironise :

– Le tout-puissant préfet de Rome, piégé ?

– Bien entendu ! Lorsqu'ils m'ont crié que le Nazaréen revendiquait le titre de roi, ils me plaçaient dos au mur.

25

« Nous n'avons de roi que César ! » se sont-ils exclamés.
Voilà que tout à coup ces renards affichaient une plus
grande loyauté à l'égard de l'empereur que le préfet ! En
relâchant Jésus, ils me faisaient passer pour un traître aux
yeux de Rome. L'affaire aurait pu arriver aux oreilles du
gouverneur de Syrie, voire de Tibère.

Pilate fait un geste de dépit et regagne sa couche en
concluant :

– Quoi qu'il en soit, si cela peut égayer ta journée, je
t'informe que ton protégé serait revenu de l'Hadès.

Claudia réprime un cri.

– Que dis-tu ?

Elle lui emboîte le pas, stupéfaite.

– Réponds-moi. Il est revenu d'entre les morts ?

Pilate s'allonge sur le dos, les mains croisées sous sa
nuque.

– C'est du moins ce que l'on raconte ici et là.

– Mais encore ?

– Le corps a disparu.

– Quoi ?

– Oh ! balivernes ! Ce sont bien évidemment ses disciples qui l'ont dérobé après avoir soudoyé les miliciens du
Temple que les prêtres avaient placé en faction devant le
sépulcre. Encore heureux que la garde n'ait pas été assurée
par mes légionnaires ! On m'aurait encore accusé de tous
les maux.

– C'est tout ?

– Une femme de Magdala affirme qu'elle a croisé deux
anges vêtus de blanc, assis à l'endroit où avait été déposée
la dépouille. Ensuite, elle se serait retournée et l'aurait vu.

– Jésus ?

– C'est ce qu'elle prétend. Mais, détail plutôt extravagant, elle ne l'a pas reconnu et l'a pris pour le jardinier ! Autre détail, encore plus singulier, il lui a interdit de poser sa main sur lui, sous prétexte qu'il ne s'était pas encore rendu chez son père.

– Elle aurait donc menti ?

– Ou elle a été victime d'une hallucination. Pour ma part, je trouve curieux qu'une telle femme – dont tous affirment qu'elle vénérait le personnage – fût incapable, trois jours plus tard, de l'identifier formellement.

– As-tu appris autre chose ?

– Deux voyageurs se rendant à Emmaüs racontent qu'ils l'ont croisé sur la route, mais, ont-ils précisé, sous une autre forme. Balivernes, te dis-je !

Un silence. Pilate reprend, songeur :

– Finalement, cette affaire est un rendez-vous manqué.

– Je ne comprends pas.

– Lorsque je lui ai demandé : « Es-tu le roi des Juifs ? », j'aurais été comblé s'il m'avait répondu par l'affirmative. Hélas, il s'est contenté de rétorquer : « Mon royaume n'est pas de ce monde. »

– Je ne te suis pas. Qu'espérais-tu donc ?

Pilate se met à rire.

– J'espérais qu'il eût déclaré : « Oui. Je suis le roi des Juifs et je revendique le pouvoir ! » Un Juif, roi des Juifs, aurait fait l'unanimité. Nous nous serions débarrassés de cette crapule de Nabatéen, je veux parler d'Hérode Antipas, bien sûr. Le calme serait revenu, et c'en aurait été fini de

27

cette guerre larvée que nous livre ce peuple depuis des décennies. La paix, enfin !

– Oui, mais voilà, il t'a répondu que le pouvoir ici-bas ne l'intéressait pas. Ce que je crois.

– Y aurait-il donc des royaumes qui ne soient pas de ce monde, ma douce amie ?

Un nouveau silence. Claudia réplique :

– Dans le regard de cet homme en tout cas, j'ai cru l'entrevoir.

*

Quelque part en Judée. Même heure.

« Ceux qui t'aiment ont trouvé le tombeau vide. Ils sont convaincus que tu es ressuscité. »

Folie ! Folie !

Jésus se prend la tête entre les mains. Son front est moite.

« Tu leur es apparu, rabbi. Ils t'ont vu. »

« Nous avons pris de gros risques », a déclaré Nicodème. Sûrement. Si ç'avait été Simon-Pierre ou Jean, ou l'un des quatorze autres, il aurait mieux compris. Mais un conseiller de Caïphas ? un membre du Sanhédrin ? Ceux-là mêmes qui l'ont accusé des pires blasphèmes ? Ni Joseph d'Arimathie ni Nicodème n'étaient de ses amis, et lui ne fait pas partie des leurs. Alors ? D'où leur est venue cette soudaine volonté de le sauver au point de risquer leur propre vie ?

Point de doute. Il ne s'agit pas d'un élan spontané. Les aromates, le linceul. Le tombeau apprêté par Joseph. Chacun de leurs gestes a été prémédité. Ils poursuivaient un dessein. Lequel ?

Écrire. Tout dire, avant qu'il ne soit trop tard. Écrire pour les mettre en garde.

Les doigts nerveux se referment sur le roseau.

Il trempe la pointe effilée dans l'encrier.

J'ai trente-six ans. Je suis né dans le milieu du mois de nisân, quelques jours avant la Pâque [4].

Mon nom est Yeshûa, qui signifie « Yahvé aide », une forme dérivée de Josué, fils de Nûn, le successeur de Moïse qui fit entrer le peuple d'Israël en Terre promise.

Je suis né en basse Galilée, à Nazareth [5], un village obscur et insignifiant, sous le règne d'Auguste, deux ans avant la mort d'Hérode qu'on appelait le Grand, mais qui ne fut qu'un assassin. Il m'a été dit que le mois de ma naissance une étoile plus ardente que les autres était apparue dans le ciel et que des astrologues venus de Babylonie s'étaient présentés chez nous, porteurs de présents. Dois-je y accorder crédit ? Je ne sais.

Ma mère se prénomme Marie. Elle est la fille de Joachim et d'Anne. Mon père Joseph était rabbin et maître d'œuvre. On disait qu'il appartenait à la maison de David, un lignage dont j'aurais hérité puisque, aux yeux de notre Loi, la filiation adoptive compte autant que la filiation charnelle. Mais Joseph lui-même n'en était pas certain.

---

4. Voir p. 287.
5. Voir p. 289.

C'est sur ordre du grand prêtre que ma mère fut unie à mon père. Elle était orpheline. Ses parents étaient morts alors qu'elle n'avait pas trois ans. Par compassion, les religieux l'avaient accueillie. Quand elle eut douze ans, ils craignirent que le cas ordinaire des femmes lui arrivât dans le Temple et qu'elle rendît le lieu impur. Ils se concertèrent, et conclurent que le mieux serait de la confier à un tuteur, un homme de bien, un vieil homme de préférence ayant passé l'âge de la concupiscence.

Ils convoquèrent alors quelques veufs connus pour leur droiture et tirèrent leurs noms au sort. Joseph fut élu : « C'est toi qui prendras en garde l'enfant, lui déclara le grand prêtre. Nous te la confions. Prends soin d'elle jusqu'à ce que nous lui trouvions un époux. »

C'est ainsi que mon père adoptif, alors âgé de cinquante ans, prit Marie sous sa protection. C'est quand elle eut seize ans, que le drame se produisit. Plus tard, peut-être, j'en parlerai.

Mes frères se prénomment Jacques, Joses, Simon et Jude. Mes deux sœurs, Lysia et Lydia. Je suis l'aîné.

J'ai grandi à Nazareth. Nazareth l'anonyme. Nazareth la délaissée. Un point minuscule sur la plaine. L'hiver, courait un vent glacial. L'été, le soleil brûlait.

Je garde dans les yeux la crête des monts de Gilboa qui ferment au nord la vallée de Jezréel où certains soirs se dessine la silhouette brisée de Saül apprenant la mort de ses fils tués par les Philistins. Lieu funeste, à jamais maudit par David.

Je garde les champs de vigne, les modestes maisons aux toits de branchages et de boue mêlés, l'ombre des figuiers et le vol des milans répandu dans l'azur. Je garde la silhouette de ma mère penchée sur la margelle de l'unique fontaine avant de repartir vers notre maison, la cruche sur l'épaule. Ma mère, cheveu noir des Galiléennes et peau mate des filles qui ont grandi dans la lumière.

À l'ouest se déployaient les courbes du Carmel, à l'est le mont Thabor, comme un sein posé sur la plaine. Au-delà ondoyaient les monts du pays de Sichem et, plus loin encore, la douce vallée du Jourdain, ce fleuve que l'on surnomme le « dévaleur ».

J'ai vu les caravanes en route pour l'Égypte qui faisaient halte pour s'abreuver à la source du hameau. Ici, plus que nulle part ailleurs, j'ai vu se côtoyer les Gentils – les non-Juifs –, Phéniciens, Arabes, Syriens, Parthes et même des Grecs.

Ma mère avait une parente du nom d'Élisabeth, épouse du prêtre Zacharie, l'un des nombreux religieux au service du Temple. Tous deux étaient natifs d'Hébron, en Judée. Élisabeth appartenait à la descendance d'Aaron et faisait partie de la tribu de Lévi.

Un récit étrange circulait à propos du couple. Un jour, selon la coutume, Zacharie fut désigné par le sort pour entrer dans le sanctuaire du Seigneur et y brûler l'encens. Privilège si rare qu'il peut n'arriver qu'une fois dans une vie. C'est alors qu'un ange du Seigneur lui serait apparu. Il se tenait à la droite de l'autel. Quand Zacharie le vit, la frayeur s'empara de lui. L'ange lui dit : « Ne crains point, Zacharie. Ta femme Élisabeth t'enfantera un fils, et tu lui donneras le nom de Yohanane. » Jean. Et l'ange précisa : « Il marchera devant Dieu avec l'esprit et la puissance d'Élie, pour ramener le cœur des pères vers les enfants et les rebelles à la sagesse des justes, afin de préparer au Seigneur un peuple bien disposé. » Zacharie s'étonna, car il était très avancé en âge, sa femme aussi, et elle était stérile. L'ange lui répondit : « Je suis Gabriel, je me tiens devant Dieu. Parce que tu n'as pas cru à mes paroles, tu seras muet, et tu ne pourras parler jusqu'au jour où ces choses arriveront. »

Ce fut effectivement ce qui se produisit. Les lèvres de Zacharie furent scellées. Lorsque ses jours de service furent écoulés, il s'en alla chez lui et, quelque temps après, Élisabeth fut enceinte. Neuf mois plus tard, lorsque le vieux prêtre se rendit au Temple pour inscrire le nom de l'enfant sur les tablettes, il écrivit ainsi que l'ange le lui avait ordonné : Yohanane. Alors seulement sa langue se délia.

Yohanane dit le « baptiseur ». C'est par lui que tout a commencé.

Durant sa jeunesse, mon père adoptif, Joseph, a travaillé à la construction du Temple, chantier démesuré né dans la tête d'Hérode pour remplacer le Temple de Salomon que les ennemis d'Israël avaient détruit. Son successeur, son fils Antipas, pour s'attirer nos bonnes grâces, s'employa à l'agrandir. Là, s'affairaient et s'affairent aujourd'hui encore des milliers d'ouvriers parmi les meilleurs de toutes les provinces. Quand le Temple sera-t-il achevé ? Personne ne le sait. Peut-être lorsque les héritiers d'Hérode, ses trois fils, disparaîtront dans les flammes : Antipas, maître de la Galilée, Archelaüs, maître de la Judée et de la Samarie, Philippe, maître d'Iturée et de la Trachonitide. Trois vipères. Trois serviteurs des Romains.

Il arrivait aussi à mon père de superviser des chantiers dans la ville de Sepphoris perchée sur une colline, à une heure de marche de Nazareth. Je l'accompagnai dès que je fus en âge de tenir un rabot.

Sepphoris, dont Antipas a fait la capitale de son gouvernement, est une ville païenne où se mêlent des mosaïques romaines et des colonnades grecques. J'y ai vu des demeures aux toits recouverts de tuiles rouges, ornées de fresques et bordées de portiques. J'y ai vu aussi un théâtre, scène des hypocrites, dressé comme une offense. J'y ai côtoyé des Grecs. J'y ai contemplé des peintures où figuraient leurs dieux et j'en ai éprouvé un haut-le-cœur.

Qu'est-ce qu'un dieu que l'on peut briser en morceaux en le jetant à terre ? Le divin n'est-il pas indescriptible ? Toute représentation de lui ne peut être que mensongère. Comment peut-on s'agenouiller devant des statues ?

À mon huitième jour, à l'instar de tous les garçons juifs, je fus circoncis. Ainsi était respectée la volonté de l'Éternel exprimée à Abraham : « À l'âge de huit jours, tout mâle parmi vous sera circoncis, selon vos générations, qu'il soit né dans la maison, ou qu'il soit acquis à prix d'argent de tout fils d'étranger, sans appartenir à ta race, et mon alliance sera dans votre chair une alliance perpétuelle. Quant à l'homme non circoncis, il sera exclu du peuple. »

J'appris à lire et à écrire l'araméen, ma langue, auprès de mon père ; ensuite, l'hébreu sous la houlette d'un rabbi qui avait pour nom Shmouel et qui était sans âge. Plus tard, j'entrai dans l'unique *Bet Hamidrash* de Nazareth, une minuscule pièce, presque nue, où se réunissaient les adolescents. Là, j'eus tout loisir d'approfondir les versets sacrés de la Torah. L'accès à la connaissance était chose rare. J'eus la chance de l'approcher.

À douze ans, à l'occasion de la fête de Pâque, j'accompagnai mes parents à Jérusalem. Jérusalem, la porte des cieux. En franchissant les remparts, me revinrent aussitôt les mots de Jacob : « Certainement, l'Éternel est en ce lieu ! »

La ville grouillait d'une foule immense venue des quatre horizons du pays et d'ailleurs. Chypriotes, Parthes, Syriens, Nabatéens se mêlaient dans un tumulte insensé.

C'est ce jour-là que j'ai vu le Temple pour la première fois. Sa construction n'était pas encore achevée. Bien que mon père me l'eût décrit cent fois, jamais je n'aurais imaginé tant de magnificence. L'édifice est entouré d'une impressionnante muraille percée de dix portes dont neuf sont entièrement recouvertes d'or et d'argent, comme aussi les montants et les linteaux. Quand le soleil s'y reflète, cela ressemble à du feu. Les portiques ont une double rangée de colonnes, d'une hauteur de vingt-cinq coudées, taillées d'une seule pièce dans des blocs d'un marbre très blanc. Les lambris qui les recouvrent sont de cèdre. Toute la partie à découvert est incrustée de pierres aux couleurs variées. À l'angle sud-est s'élèvent deux rampes à angle droit. La plus courte, au sud, mène vers la Porte Magnifique ; l'autre, à l'est, conduit vers les Portes de Hulda. Il y a trois parvis : celui des Gentils, ouvert à tous, le parvis des femmes et celui des hommes. Au centre, la cour des prêtres avec l'autel des sacrifices.

Au-delà, un bâtiment abrite le chandelier d'or à sept branches (la *menora*) et le Saint des Saints. On dit que depuis près de trente ans, il n'a jamais plu sur le chantier. Il n'y eut d'averses que la nuit. Ainsi, jamais les travaux n'ont été interrompus.

Au temps d'Hérode, un aigle en métal doré, effigie impie, flottait au-dessus du fronton qui surplombait l'esplanade. Des rabbins, outrés, l'abattirent. À titre de représailles, le souverain ordonna que quarante d'entre eux soient enduits de poix, et il les fit brûler comme des torches dans la nuit.

À la vue de ce lieu sacré entre tous, je sentis mon âme se gonfler de bonheur. Cependant, très vite, mon émotion fut contrariée par les cris stridents et les altercations des marchands. Brouhaha de stupre et de cupidité. Injures faites à la pureté des cieux. Penchés sur leurs étals de fortune, des vendeurs d'encens, de colombes, d'huile, de vin, de phylactères, de myrrhe, de bougies, gesticulaient et bataillaient pour les prix ; des changeurs, l'œil rapace, faisaient tinter des pièces de Cappadoce, de Macédoine ou de Lucanie frappées à l'effigie de rois lointains et de dieux païens. Toute autre monnaie étant considérée comme impure, seule la monnaie tyrienne permettait aux pèlerins de payer l'impôt dû à la classe sacerdotale. Une monnaie elle-même sacrilège, puisque y était gravée l'effigie du dieu phénicien, Melkart. L'Héraclès des Romains.

Des files serpentaient devant les tables où se vendaient les sceaux indispensables à l'achat des bêtes que l'on se devait de sacrifier pour le rachat de ses péchés.

Étions-nous dans un lieu de prière ou dans un caravansérail ?

J'interrogeai mon père. Tout d'abord, il me fit observer que les marchands étaient confinés sur le parvis des Gentils, en amont de la clôture qui sépare le pur de l'impur, et non dans le sanctuaire lui-même. Ensuite, il m'expliqua que ces gens étaient autorisés à commercer parce qu'ils versaient au clergé de fortes redevances. Telle famille sacerdotale avait le monopole du commerce des parfums ; telle autre, celui des pains dits « de la Face ». Des pains au nombre de douze, offerts à l'Éternel et que seuls les sacrificateurs avaient le droit de manger.

Bien évidemment, la famille de Caïphas et de Hanan se réservait la plus grande part des revenus. Ainsi, les serviteurs de l'Éternel pouvaient être des négociants et s'enrichir sur son Saint Nom ?

Profondément troublé, je m'écartai de ce fracas et me retrouvai séparé de mes parents.

Comme poussé par une force invisible, je me glissai dans l'enceinte sacrée. Un nuage de fumée opaque flottait à mi-hauteur de la voûte. Une odeur de graisse, de chairs brûlées et d'encens montait de partout. Conduit par des lévites, un troupeau d'agneaux avançait vers les prêtres préposés à l'immolation. Toutes ces bêtes allaient mourir, sacrifiées dans une débauche de sang et de bêlements. Finalement, ce qui aurait dû être le havre sacré d'Élohim n'était qu'un immense abattoir.

Je ne sais comment, je me suis retrouvé tout à coup au milieu d'un groupe formé par des docteurs de la Loi. Ils discouraient sous l'œil respectueux de fidèles. À un moment donné – audace folle – je m'autorisai à les interroger sur quelques points des Écritures, comme les trente-neuf actions prohibées pendant la durée du shabbat. Je voulais savoir s'il était illicite de « découdre », mais autorisé de « déchirer » ou de « couper ». J'essayai de comprendre le sens des *tsitsitt*, ces franges qui ornent les quatre coins de nos châles de prière.

Dans l'effervescence du jour, ni Marie ni Joseph ne s'aperçurent de mon absence. Ils repartirent pour Nazareth, convaincus sans doute que je faisais partie de la caravane. Puis, ma mère dut se rendre compte de ma disparition. Ils rebroussèrent chemin et, fous d'inquiétude, partirent à ma recherche à travers les rues de la ville. Ce n'est qu'au bout de trois jours qu'ils me retrouvèrent dans le sanctuaire — le seul endroit où ils n'avaient pas imaginé me trouver. J'étais encore là. Je n'avais rien bu, rien mangé, tant j'avais été préoccupé par mon désir d'apprendre. Chose troublante, j'avais eu l'impression que, par moments, les docteurs de la Loi étaient impressionnés par mes reparties. Sans doute n'était-ce qu'une impression.

Marie, affolée, me tança :

— Mon enfant, pourquoi as-tu agi de la sorte avec nous ? Ton père et moi te cherchions avec angoisse.

J'eus cette réponse qui leur parut étrange :

— Pourquoi me cherchiez-vous ? Ne saviez-vous pas qu'il faut que je m'occupe des affaires de mon Père ?

Mais ils ne comprirent pas.

Moi je savais. J'ai toujours su.

Des journées entières, de l'aurore au couchant, je me suis nourri des Psaumes, j'ai pleuré l'exil de mon peuple, incliné mon front sur le rêve d'Abraham, prié Élie, le plus grand de tous les prophètes. Élie, que l'Éternel dans sa mansuétude arracha aux affres de la mort en l'enlevant vers les cieux dans un tourbillon.

De même, en parcourant les textes, j'ai rendu grâce à Adonaï qui, du tohu-bohu, tira les astres, l'eau et la terre. J'ai connu la soif et la faim sur les terres de l'Exode. J'ai frémi au pied de la montagne, lorsque, fendant la nuit noire, Moïse nous apporta la Loi. Et quand au point du jour je finissais par m'endormir, mon corps endolori livrait encore bataille au côté du roi David.

Si grande était mon émotion en parcourant le Livre, qu'il me venait des vertiges et des tourments. De ma chair et de mon âme sortaient des feux que ni le temps ni les hommes n'ont su éteindre. J'étais dans l'effroi et la ferveur. C'était comme si un torrent affolé se déversait dans mes veines. Et je voyais bien, dans les yeux de mes proches, que l'on s'en inquiétait. Mes frères, hormis Jacques, se riaient de mes bouleversements. On eût dit que derrière un rideau de ténèbres perçait une lueur inapprivoisée. Il m'a fallu du temps pour comprendre, pour démêler le vrai du faux, le pur de l'impur, la vérité du mensonge.

Un matin, mon père m'interpella :

– Mon fils, je t'observe depuis que tu es né. Tu sembles épris des choses de notre religion. Ne voudrais-tu pas être rabbin ?

Je répondis sans hésiter :

– Non, *âba*, je ne le souhaite pas.

Ma réponse dut le surprendre.

– En es-tu bien sûr ?

– Oui.

– Pour quelle raison, mon fils ? Tout, dans ton attitude, semble au contraire te porter au service de l'Éternel.

– Il y a mille façons de servir l'Éternel. Mais il y a plus important : je ne me sens pas de ce monde.

Mon père fit de grands yeux.

– Je ne comprends pas.

Il me vint aussitôt aux lèvres ces propos du prophète Ésaïe :

– Il a été dit : « Cessez de vous confier en l'homme, dans les narines duquel il n'y a qu'un souffle : car de quelle valeur est-il ? »

Joseph demeura perplexe. Quelles pensées bataillaient dans sa tête ? Il ne me l'a jamais dit.

Par-delà les Écritures, alors que j'entrais dans ma seizième année, j'ai connu l'enseignement de rabbi Hillel, le sage d'entre les sages.

« Si je ne suis pas pour moi, qui le sera ? Et si je ne suis que pour moi, qui suis-je ? Et si pas maintenant, quand ? »

Ce précepte m'a longtemps paru obscur, jusqu'au jour où j'en ai cerné le sens. Il signifie tout simplement que chacun d'entre nous doit s'occuper de lui-même et assurer son salut, sans se reposer sur les autres, sans perdre un instant, car nos mérites sont si petits, le chemin est si long, et demain, nous aurons cessé de vivre.

« Ce qui t'est odieux, ne le fais pas à ton proche. Voilà toute la Torah. Le reste n'est qu'une application. Va l'apprendre ! » En disant ces mots admirables à l'un de ses disciples, Hillel rejoignait les versets sacrés gravés dans le Livre de Zacharie : « Que nul en son cœur ne pense le mal contre son prochain, et n'aimez pas le faux serment, car ce sont là toutes choses que je hais, dit l'Éternel. »

J'en déduisis, conformément au Lévitique, qu'il fallait aimer son prochain comme soi-même. L'amour est bien plus important que tous les holocaustes et tous les sacrifices. Pour changer le monde, l'homme se doit de gravir une marche de plus. S'élever plus haut encore. C'est pourquoi, un jour, devant une foule rassemblée au pied de la colline qui surplombe la mer de Galilée, j'ai déclaré : « Aimez vos ennemis, bénissez ceux qui vous maudissent, faites du bien à ceux qui vous haïssent, et priez pour ceux qui vous maltraitent et vous persécutent. » M'ont-ils seulement écouté ? Et ceux qui m'ont écouté, m'ont-ils seulement entendu ?

Tandis que je nourrissais mon âme, mon père m'apprenait les gestes du charpentier. Dès ma plus tendre enfance, il me montra comment manier le rabot ou la varlope, affûter une lame, tailler les tenons dans le fil ; comment poncer, combler les fissures de résine ou de sciure au blanc d'œuf ; percer un trou avec une tarière, faire des tenons ou des mortaises. En hiver, notre maison sentait les copeaux et la sciure ; l'été, nous déplacions l'établi sous les oliviers et je pouvais à loisir m'imprégner de l'azur tout en façonnant mon ouvrage. J'aimais le contact du bois, cette vie qui tremblait sous l'aubier. Combien de tables, de coffrets, de tabourets, de lits, de charrues et de jougs sont nés entre mes doigts ? J'ai perdu le compte. Ma mémoire ne se souvient que des rumeurs d'alentour. Le va-et-vient de ma mère occupée aux tâches du ménage ou filant la laine, le rire de mes sœurs, mes frères chamailleurs et les senteurs d'orge et de pain chaud.

Marie, Marie. Toi qui me pleures, j'aimerais tellement te dire : sèche tes larmes. La cruauté de ces hommes, Joseph et Nicodème, est infinie. À cause d'eux, tu te meurs de ma mort, et je suis vivant.

Frappée d'une soudaine lassitude, la main retombe sur le papyrus.

Jésus se lève.

Son regard parcourt la pièce.

Une natte. Une table. Deux tabourets.

Des murs nus. Il étouffe. Fuir. Partir !

Il fait un pas en direction de la porte et pose sa paume sur le battant, pourtant conscient de l'inutilité de son geste. L'huis est clos. Il est prisonnier. D'un mouvement rageur, il cogne. Une fois, deux fois.

– J'ai faim !

À ses appels répond un bruit de pas. Un cliquetis.

La porte pivote.

Un milicien du Temple apparaît sur le seuil.

– Que veux-tu ?

– Je l'ai dit : j'ai faim.

L'homme émet un grognement.

Le battant se referme dans un claquement sourd.

Jésus a eu le temps d'entrevoir la silhouette courbée d'une vieille femme. Bizarre. Ses traits lui semblent familiers.

Où est Pierre ? Où sont les autres ?

Il se laisse tomber à terre. À genoux. Ses mains se crispent sur son ventre. Père. Père. Que Ton Nom soit sanctifié.

3

Jérusalem, le lendemain, palais du grand prêtre.

D'un geste irrité, Hanan chasse l'essaim de moucherons qui tourbillonne devant son visage émacié de vieillard.

– Ah ! que l'on nous délivre de cette persécution !

– C'est la chaleur, commente Caïphas. Tous les printemps, c'est pareil. L'été, c'est pire.

– A-t-on fait mettre des filets aux fenêtres ?

– Oui. Mais les mailles ne sont pas assez étroites. Il faudrait songer à les changer.

– Alors, qu'on les change !

Avec le temps, Caïphas a appris à connaître les changements d'humeur de son beau-père. Sans raison apparente, celui-ci peut basculer de l'attitude la plus affable à la plus grande aigreur. De toute façon, ce n'est pas lui, Caïphas, qui se permettrait la moindre critique. Hanan est un personnage beaucoup trop important. Grand prêtre du Sanhédrin, c'est-à-dire premier personnage d'Israël et représentant du peuple juif devant les Romains, il a connu la disgrâce après l'accession de Tibère à la tête de l'Empire.

Pourtant, bien que démis de ses fonctions, il est parvenu – à force de corruption – à transmettre le pectoral à ses fils, puis à son gendre, et continue d'exercer une très grande influence au sein de l'assemblée. En réalité, si Caïphas préside le Sanhédrin, son beau-père gouverne dans l'ombre.

– Alors, reprend Hanan avec impatience, où sont-ils ?

– Ils viennent d'arriver à Jérusalem. Ils ne vont pas tarder.

– J'ose espérer qu'ils ont une bonne nouvelle à nous annoncer. Sinon, je ne donne pas cher de l'avenir. C'est un désastre ! Une calamité ! Nous voilà pris à notre propre piège.

Caïphas tend la main vers une coupe de jus de caroube. Il boit une lampée et commente :

– Il est vrai que les choses ne se sont pas déroulées comme prévu, il n'en demeure pas moins que nous sommes toujours maîtres de la situation. Nous...

– Maîtres de la situation ? L'homme est toujours vivant et se refuse à quitter le pays. Il est fou. Et comme tous les fous, imprévisible.

– Il cédera. Nous ne lui avons pas donné le choix. L'exil ou l'enfermement à vie.

Le vieillard prend appui sur les bras de son fauteuil, se lève avec difficulté et se met à arpenter la salle de long en large.

– Et, plus déraisonnable encore, on lui a accordé de quoi écrire !

– Une concession sans conséquence. C'était le prix à payer pour sa coopération. Quelle que soit la teneur de son récit, personne n'y accordera foi. Et, surtout, personne, jamais, n'aura l'occasion de le lire : nous nous en assurerons.

— S'il ne tenait qu'à moi, Caïphas, le Galiléen reposerait à l'heure qu'il est dans une tombe anonyme au fin fond du désert de Judée.

— Le tuer ? Nous ? des meurtriers devant la face de l'Éternel ? Du sang sur nos mains ? Nous... ?

— Et s'il s'évadait ? Y as-tu pensé ?

— Impossible. Il est surveillé nuit et jour par nos miliciens. L'un d'entre eux n'est autre que Malchus, dont l'oreille fut tranchée le soir de l'arrestation par l'un des disciples du Galiléen. Il se fait une joie d'accomplir sa tâche. Lui présent, jamais Jésus ne réussira à s'échapper. D'ailleurs, à quoi cela servirait-il ? Crois-tu qu'il irait vers ses disciples en proclamant : « Je ne suis pas ressuscité. Je vous ai menti. Je n'étais pas le Sauveur que vous attendiez » ? Impensable !

Hanan pivote. Le collier d'or qui orne sa poitrine se soulève et retombe lourdement.

— De toute façon, a-t-il vraiment jamais déclaré qu'il était l'Oint du Seigneur ? Pas à moi, en tout cas.

Caïphas sursaute.

— Mais je croyais...

— Rien ! Tu ne croyais rien. J'ai gardé en mémoire chaque propos qu'il m'a tenu. À aucun moment, en ma présence du moins, il n'a déclaré qu'il était le Messie.

Caïphas se lève à son tour et s'avance vers son beau-père.

— Hanan... (son regard affronte celui du grand prêtre)..., à moi, il a affirmé clairement : « Je suis le Messie. » Moi aussi j'ai retenu chaque parole prononcée. Sa réponse était sans équivoque : « Es-tu le Christ, le Fils de Dieu ? » Il a répliqué : « Tu l'as dit ! »

Le vieillard hausse les épaules.

– « Tu l'as dit » n'est pas une réponse. Tout dépend du ton employé. Combien de fois m'est-il arrivé, exaspéré, épuisé, de répondre à un fâcheux : « Tu l'as dit ! Tu l'as dit ! » Sous-entendu : « N'en parlons plus. Je renonce. » Unique moyen de mettre fin à une discussion oiseuse, sachant que tout débat serait perdu d'avance. Quant au terme « fils de l'homme », dont il n'a cessé de se prévaloir, le moindre illettré sait qu'il s'agit d'une expression on ne peut plus commune. Elle a été utilisée plus de cent fois dans le Livre.

– Il a blasphémé ! Il a osé déclarer : « Détruisez ce Temple, et en trois jours je le relèverai ! »

– Erreur, frère Caïphas ! Il évoquait un autre temple.

Les deux prêtres se tournent en même temps vers celui qui vient de lancer ces mots : Nicodème. À son côté marche Joseph d'Arimathie.

– La paix sur vous, salue Hanan. Nous vous attendions.

Caïphas néglige les salutations et s'empresse de questionner :

– Que veux-tu dire par « un autre temple » ? Que je sache, il n'en est pas d'autre à Jérusalem.

Nicodème arrive à hauteur des deux hommes.

– Je pense que, ce jour-là, il parlait du temple de son corps.

Hanan invite les deux visiteurs à prendre place et lui-même regagne son siège.

– Alors ? Lui avez-vous parlé ?

C'est Nicodème qui répond :

– Oui. Pour l'instant, il s'entête et ne veut rien savoir. Ce qui est naturel. Il a connu de grandes souffrances et n'est pas encore pleinement conscient de la situation. Néanmoins, je suis persuadé qu'il finira par se soumettre. C'est une question de jours, voire d'heures. De toute façon, le temps joue en notre faveur.

Hanan pousse un cri exaspéré.

– C'est vous ! C'est votre faute ! C'était votre idée ! Surtout la tienne, Nicodème.

– Un peu d'indulgence, mon frère. Comment aurions-nous pu imaginer, la nuit où nous l'avons enlevé du tombeau, qu'il était toujours vivant ? Le légionnaire a vérifié. Il lui a planté sa lance dans le flanc. Pour nous, il ne faisait aucun doute que le Nazaréen était mort. C'est seulement lorsque nos gardes ont roulé la pierre que nous nous sommes aperçus qu'il était encore en vie.

– Alors, il fallait le laisser mourir ! conclut Hanan.

– Et voir notre plan s'écrouler ? objecte Joseph d'Arimathie. Voir réduire à néant tout ce que nous avions mis en œuvre ?

Caïphas intervient timidement :

– À propos des gardes… N'y aurait-il pas un risque qu'ils parlent ?

Joseph secoue la tête.

– Aucun. À l'heure qu'il est, ils sont hors du pays avec de quoi vivre dans l'aisance jusqu'à la fin de leurs jours.

Un silence lourd enveloppe la salle.

– Une question, dit Hanan. Ces rumeurs qui mentionnent la présence du Nazaréen ici et là... Je présume que ce sont nos hommes qui en sont les instigateurs ?

Joseph sourit.

– Non. Contre toute attente, nous n'avons pas eu besoin d'agir. Ses disciples nous ont pris de vitesse. Ils ont réagi bien au-delà de nos espérances. Et c'est parfait.

Il écarte un fil invisible de sa manche en poursuivant :

– Gardons notre sang-froid. Il va céder, j'en suis convaincu.

– Sinon ? interroge Hanan.

Nicodème hésite, puis :

– Alors, nous devrons envisager une autre solution...

Caïphas baisse les yeux.

Hanan rectifie l'alignement de son collier.

Un rai de soleil sanglant traverse la fenêtre et vient s'écraser à leurs pieds.

*

Quelque part en Judée. Même heure.

Jésus vérifie qu'il reste encore de l'huile dans la lampe et reprend le fil de l'écriture :

> J'ai répliqué au préfet : « Je suis né et je suis venu dans le monde pour rendre témoignage à la vérité. Quiconque est de la vérité écoute ma voix. » Pour tout commentaire, il s'est contenté de me demander avec cynisme : « Qu'est-ce que la vérité ? » Lui non plus n'a rien compris. Enferré dans sa vision du monde,

serviteur de l'Empire, Pilate est aveugle. Aveugle et veule. Croyait-il donc se laver d'un crime en se trempant les mains dans une coupe et en proclamant : « Je suis innocent du sang de ce juste » ? Et lorsqu'il s'est livré à cette scène de troc, proposant d'échanger la vie de cet assassin, Yeshûa bar-abba, contre la mienne, quel but poursuivait-il ? Aucun. C'était l'ultime échappatoire du lâche. Comment pouvait-il croire que cette foule déchaînée abandonnerait la proie qu'elle s'était choisie ? Lorsqu'un animal sauvage plante ses crocs dans la chair de sa victime, rien ne peut l'en détourner. De toute façon, mon Père avait depuis longtemps déjà gravé chaque courbe de mon existence et pas un seul grain de sable n'aurait pu être déplacé, hors de Sa Volonté.

Je savais. J'ai toujours su.

« Le fils de l'homme doit être livré entre les mains des hommes. Ils le condamneront à mort, et ils le livreront aux païens, on se moquera de lui, on l'outragera, on crachera sur lui. »

J'ai toujours su.

C'est la raison pour laquelle j'ai longtemps reporté le moment de me rendre à Jérusalem. Je savais que là serait le danger.

C'est la raison aussi qui m'a poussé à prendre la fuite la première fois que les sacrificateurs cherchèrent à s'emparer de moi. C'était à quelques lieues du Jourdain, le « dévaleur » ; non loin de l'endroit où, après des années de séparation, j'avais retrouvé Yohanane le baptiseur. J'ai fui. C'est seulement en approchant des eaux du fleuve que j'ai recouvré mon calme. Le souvenir de Yohanane m'est revenu.

Yohanane était cette vérité si étrangère à Pilate. De famille sacerdotale, prêtre de naissance, il avait pourtant décidé d'emprunter une autre voie, écœuré de constater les privilèges dont bénéficiaient les prêtres, leur fortune et leurs compromissions de chaque jour avec l'occupant romain. Yohanane avait soif de pureté. Nous avions la même. Jamais étanchée.

Nous ne nous sommes vus que rarement au cours de notre adolescence : entre Nazareth et Hébron, il y a plus de cent milles*. Mais chaque fois, ce fut avec bonheur. Il n'était mon aîné que de quelques mois, mais on eût dit qu'un discernement de vieil homme l'habitait, alors que, dans le même temps, la révolte grondait en lui. Comme si dans son âme roulaient des rivières en crue. Il parlait d'un monde sans concessions, loin du clergé et de sa cupidité, un monde de vérité. Il rêvait d'une aube nouvelle qui verrait le triomphe de l'Éternel, le départ des rois étrangers et la pureté régnant sur toutes choses. Il lui arrivait souvent de lever le poing et de reprendre à son compte les propos d'Isaïe : « Cieux, écoutez ! Terre, prête l'oreille ! Car l'Éternel parle. J'ai nourri et élevé des enfants, mais ils se sont révoltés contre moi. Le bœuf connaît son possesseur, et l'âne la crèche de son maître : Israël ne connaît rien, mon peuple n'a point d'intelligence. Malheur à la nation pécheresse, au peuple chargé d'iniquités, à la race des méchants, aux enfants corrompus ! »

Un matin, alors que je venais d'avoir dix-neuf ans,

---

* Environ 150 kilomètres. Comme la majorité des gens à cette époque, Jésus parle en milles romains. Un mille est égal à 1 480 mètres.

50

Yohanane frappa à notre porte. Il avait fait tout le voyage pour m'annoncer la nouvelle : son père Zacharie était mort. Sa mère, Élisabeth, n'avait pas supporté le deuil.

– Je pars. J'ai décidé d'aller vivre auprès des esséniens.

Je ne fus pas surpris. Il m'avait souvent parlé de cette communauté d'ascètes qui séjournait à Qoumrân, sur les rives de la mer Morte, en marge du monde. Il m'avait expliqué leur mode de vie, leur vision de l'univers, leurs attentes. Selon lui, ces gens étaient les derniers justes sur la terre d'Israël. Il me proposa de l'accompagner.

– Viens avec moi. Je te connais. Ta fièvre est encore plus brûlante que celle qui me dévore. Toi aussi tu es dans la quête et je lis dans ton regard une force que je ne m'explique pas. Tu te tais, et pourtant c'est comme si tu criais. Tu sembles absent, et pourtant tu es plus présent que le temps. Viens avec moi. Là-bas nous grandirons.

– Je ne suis pas prêt, Yohanane. J'apprécie trop la nourriture et le vin.

Je ne mentais pas. Il insista :

– Viens avec moi, Jésus.

– Plus tard. J'ai besoin de temps. De trop nombreuses questions se bousculent encore dans ma tête.

Il posa une main fraternelle sur mon épaule, me fixa longuement et déclara d'un ton étrange :

– Je t'attendrai. Et j'aplanirai pour toi le chemin.

Les semaines et les mois passèrent. J'étouffais dans mes questionnements. Je retournais ma vie comme un laboureur retourne une terre sans semence. J'en étais arrivé à penser que Yohanane avait peut-être raison, que là-bas, au pied des falaises de silex rose, se trouvaient les réponses. Je décidai d'aller le rejoindre.

Je me souviens.

Lorsque j'annonçai mon départ, mes frères exprimèrent leur désaccord et déversèrent sur moi leurs critiques. Tous, sauf Jacques. Ils estimaient que le devoir de l'aîné est de rester aux côtés de sa famille. Mon père garda le silence. Marie retint ses larmes.

En m'accompagnant sur le seuil de la maison, elle a seulement posé la main sur ma joue et a murmuré : « Pars, mon enfant. Mais n'oublie pas. » Sur le moment, j'ai cru qu'elle me recommandait de me souvenir qu'elle serait toujours là et qu'elle m'attendrait. Je me trompais. Elle voulait dire, mais je ne le compris que bien plus tard : « N'oublie pas pourquoi tu es venu au monde. »

Ce fut un long voyage de Nazareth à la mer Morte. Il me permit de réfléchir et de méditer.

J'arrivai à Qoumrân un jour de pluie et d'orage. La maison des ascètes se dressait dans un décor aride, non loin de cette mer maudite, aux eaux si lourdes de sel qu'on eût pu y faire flotter un caillou, si compacte qu'elle absorbait la lumière. Même les rares arbres alentour faisaient penser à des ossements dressés vers le ciel.

Ces gens se disaient les « fils de Sadoq », les gardiens de l'Alliance, descendants d'Aaron, le frère de Moïse. Ils vénéraient un prêtre du nom d'Onias surnommé, pour je ne sais quelle raison, le Maître de Justice. Il s'agirait d'un sage, assassiné il y a fort longtemps par un roi impie.

Ils avaient divisé les hommes en deux factions : les fils des Ténèbres et ceux de la Lumière, eux-mêmes appartenant bien sûr à la seconde catégorie. Pour eux, les fils des Ténèbres, c'est-à-dire le reste des humains, étaient voués à l'opprobre. Tous les gens des nations et tous les Juifs en dehors de la communauté finiraient par périr. Ils seraient accablés de plaies sans nombre par l'Ange des Calamités, condamnés par la puissante colère du Dieu vengeur, en proie à une terreur sans fin et une ignominie éternelle, sans répit, sans rémission.

En écoutant leurs propos, la tristesse me submergea. Nos Saintes Écritures sont si chargées de menaces et de sang versé que certains soirs, allongé sur ma couche, il m'arrivait d'entendre des cris. Ils entraient dans ma tête et incendiaient ma chair. Ô, combien de nuits ai-je vu défiler des scènes de massacre ! Combien de nuits ai-je entendu la voix terrible de Moïse ordonnant : « Ceignez votre épée ! Traversez et parcourez le camp d'une porte à l'autre, et que chacun tue son frère, son parent ! » Près de trois mille hommes parmi le peuple périrent en cette journée.

N'était-ce pas en contradiction avec les préceptes de Yahvé : ne pas chercher vengeance, ne pas garder rancune envers les enfants de son peuple, aimer son prochain comme soi-même ?

Je refusais l'idée d'un père qui pourrait anathématiser ses enfants. Mes yeux lisaient et comprenaient. Mon cœur lisait et saignait.

Tu aimeras ton prochain comme toi-même.

Je ne voulais entendre que ces seuls mots. C'est

sans doute pourquoi la rudesse et l'intolérance des esséniens me heurtèrent.

Cloîtrés dans ce monastère, nous ne mangions que du pain, des racines sauvages et des fruits, la consommation de viande étant interdite. Le port des lainages était prohibé ; nous ne devions porter que du lin blanc. On nous imposait une manière de compter les jours et les années. Selon les esséniens, le nouveau calendrier était un calendrier impur. Par conséquent, nos fêtes étaient célébrées à des dates erronées. C'est l'une des raisons pour lesquelles les adeptes refusaient de prier au Temple et de nous côtoyer, nous les Juifs, car nous étions à leurs yeux des usurpateurs.

Je n'ai jamais éprouvé de réticences à prier avec les miens, ni à enseigner dans l'enceinte sacrée. Pour moi, c'était dans l'ordre des choses.

Les ablutions rituelles tenaient aussi une grande place dans notre vie quotidienne. Un bain purificateur précédait chaque repas, encore fallait-il que l'eau fût en assez grande quantité pour envelopper complètement un homme. De même, pour satisfaire nos besoins, nous devions nous éloigner du camp d'au moins trois mille coudées.

Il était interdit de procéder à des sacrifices d'animaux, de fabriquer des armes ou de tenir un commerce. Les membres, après une instruction de trois ans, devaient prêter serment et renoncer à jamais aux plaisirs terrestres.

Dans les premiers temps, j'ai cru être séduit par leur vision du monde. Dans les premiers temps seulement, car, insensiblement, j'ai vu s'ouvrir l'abîme qui me séparait d'eux.

Ils affirmaient que le pardon de la faute doit s'arrêter à la porte du pécheur et de l'ennemi. Alors, à quoi servirait le pardon ? Moi je pensais : Si vous aimez ceux qui vous aiment, quelle récompense méritez-vous ? Et si vous saluez seulement vos frères, que faites-vous d'extraordinaire ? Les païens n'agissent-ils pas de même ?

Il y avait aussi ces règles inflexibles qu'ils appliquaient à tous les domaines, même les plus intimes, comme toucher avec ses mains ou dénuder ses parties génitales. Un homme qui marcherait nu à la vue de l'un de ses compagnons sans raison contraignante était puni pendant six mois.

En vérité, le motif qui a consommé ma rupture avec les esséniens était ailleurs : cette secte se complaisait hors des réalités. Elle était comme en attente, or l'attente est stérile. Une ville située sur une montagne ne peut être cachée ; et on n'allume pas une lampe pour la mettre sous le boisseau, on la met sur le chandelier afin qu'elle éclaire tous ceux qui sont dans la maison.

Un matin, au bout de deux ans, je suis parti. J'ai abandonné Yohanane à Qoumrân et à ses spectres. M'en a-t-il voulu ? Je ne le crois pas, puisque l'avenir devait me donner raison.

Où aller ? Où trouver la vérité et le sens de tout ? Il y avait cette voix qui me soufflait des mots que je ne comprenais qu'à moitié. Certains soirs, elle résonnait aussi fort que le tonnerre ; d'autres soirs, elle était douce et chaude. Je sais depuis que c'était la voix de mon Père qui est dans les cieux.

4

29 du mois de nisân. Capharnaüm. Maison de Simon-Pierre.

La nuit s'est glissée sur eux. C'est shabbat. Deux bougies jettent de pâles lueurs sur les visages.

Ils sont treize, allongés sur des nattes. Tous des disciples du Nazaréen.

Il y a aussi les deux enfants de Simon-Pierre. L'aîné, Avi, quinze ans, et Saül, le cadet, deux ans de moins. Entre eux se tient Adaya, la belle-mère de Simon. Celui-ci vient de poser les mains sur la tête de ses fils.

— Que l'Éternel vous éclaire et vous apporte la paix. Puisse l'Éternel vous faire ressembler à Éphraïm et à Manassé.

Il récite ensuite le *kiddouch*, la bénédiction sur le vin, et le *ha-motsi*, la bénédiction sur le pain. Il rompt le pain, le sale et distribue un morceau à chacun.

Aussitôt, Jacques interroge :

— Saurons-nous jamais pourquoi il s'est pendu ?

Simon-Pierre fait un geste dédaigneux.

— Il eût mieux valu pour lui n'être jamais venu au monde.

– Sans doute, observe Thomas le Jumeau[6].

Il tend la main vers une cruche de vin et se sert.

Un rideau voile les fenêtres. La porte est close. Disposés sur un grand plateau à même le sol, des olives, du fromage doux de Galilée et des poissons grillés arrosés de citron.

– Sait-on où cela s'est passé ? s'enquiert Philippe.

Philippe de Bethsaïde répond :

– D'après la rumeur, dans un champ, aux portes de Jérusalem.

Pierre commente en mâchouillant une olive :

– Dans les bras de Satan !

– Arrête, Simon !

C'est Hana, son épouse, qui vient de l'interrompre. Elle est plus grande que la moyenne des Galiléennes. Quarante ans, mince, pas une ride, sinon de fines ridules au coin des yeux.

Elle traverse la pièce d'un pas vif et plaque sur le plateau un grand bol empli de grenades.

– Veux-tu que je te dise, Simon ? Je te trouve très dur à l'égard de ce pauvre Judas. Aurais-tu oublié qu'il a tout de même été votre compagnon, et sans doute le plus intègre ?

– Le plus intègre ? Est-ce ainsi que tu qualifies celui qui a vendu notre maître pour une poignée de shekels ?

Hana s'allonge entre son époux et Matthieu Lévi.

– Comme toujours, tu parles plus vite que tu ne penses. Réfléchis un peu ! Voilà quelqu'un qui a été le trésorier de la communauté, en charge de récolter les dons, d'acheter la nourriture et les vêtements, qui avait toutes les occasions

---

6. Voir p. 290.

de se servir dans la caisse, et ce serait cet homme-là qui aurait trahi pour quelques misérables shekels ? Je n'ai rien entendu d'aussi saugrenu de toute mon existence !

— Calme-toi, ma fille, intervient Adaya. Tu vas te faire des humeurs.

— Pourtant, observe Matthieu Lévi, c'est bien ce qui s'est passé.

— Absolument, renchérit Jean. Pour preuve de son âpreté, souviens-toi des hauts cris qu'il a poussés le jour où Myriam de Béthanie a déversé le contenu d'un vase de nard pur sur les pieds du maître. Le Kerioth a pesté en disant : « À quoi bon perdre ce parfum ? » Il est vrai que le vase en contenait près d'une livre. L'équivalent de trois cents jours de travail d'un vigneron ou du prix d'un esclave.

Nathanaël s'empresse de rectifier :

— Tu oublies un détail, mon ami. Il a aussi ajouté qu'on aurait pu le vendre et distribuer l'argent aux pauvres.

— Ce qui prouve qu'il avait du cœur, insiste Hana. De toute façon, toi, Jean, tu ne l'as jamais aimé !

L'interpellé se frappe la poitrine.

— Moi ?

— Oui, toi ! Je crois bien que tu le jalousais.

— Femme ! gronde Pierre.

Adaya adopte une moue affligée.

— Ma fille ne connaîtra jamais la mesure…

— C'est pourtant la vérité ! Jean n'a jamais supporté de ne pas être le préféré du maître.

— Tu dépasses les bornes !

Impavide, Hana enchaîne :

— Mettons que Judas fut celui que vous imaginez : un

être vénal et sans scrupules. Pensez-vous réellement qu'il aurait suivi Notre Seigneur pendant plus de trois années dans le seul but de détourner de l'argent de la bourse commune ? Et le maître eût été à ce point aveugle pour ne pas s'en rendre compte ? lui qui savait si bien lire dans les cœurs ? D'ailleurs, souvenez-vous : il n'y a pas eu que l'homme de Kerioth pour s'élever contre la prodigalité de Myriam. Tous, ici présents, vous avez protesté. Au point que le rabbi vous a déclaré que des pauvres, vous en auriez toujours, mais que lui, un jour, vous ne l'auriez plus.

Elle secoue la tête avec vigueur.

– J'ai observé votre compagnon. J'ai vu combien, certains jours, il se tourmentait pour essayer de remplir votre panse avec les maigres moyens dont il disposait ! Économe ? Sûrement. Mais pas cupide. Pas suffisamment pour trahir. Et je le répète : pas pour une somme aussi dérisoire.

– Très bien, femme ! rétorque Simon-Pierre, agacé. Alors, toi qui sais tout, explique-nous pour quelle raison, sinon l'appât du gain, Judas a divulgué aux prêtres l'endroit où nous devions nous réunir ce soir-là. Et pourquoi le rabbi a déclaré devant nous tous, une heure auparavant : « L'un de vous, qui mange avec moi, me livrera. » Et comme nous nous interrogions les uns les autres pour savoir à qui il faisait allusion, il a précisé : « C'est celui à qui je donnerai le morceau de pain trempé. » Et, ce morceau, à qui l'a-t-il donné ? À Judas ! Tu as bien entendu, Hana ? À Judas !

La femme soupire.

– Tu me fatigues, Simon. Je n'en sais rien. Je sais seulement que la cupidité n'est pas la réponse. Il s'agit d'autre chose.

– Quoi qu'il en soit, observe Thomas le Jumeau, il a

rendu cet argent au Sanhédrin. On peut donc imaginer qu'il était dévoré par le remords.

— Ce qui, si je ne me trompe, n'a jamais été notre cas, déclare soudain Jean de Zébédée.

Bien qu'exprimée à mi-voix, la brutalité de l'affirmation saisit l'ensemble des treize.

Thomas vide d'un coup son godet de vin. Les autres sont comme statufiés.

— Pas de commentaires ? ironise le fils de Zébédée.

— Où veux-tu en venir ? grommelle son frère, Jacques.

— Rappeler notre outrecuidance. Voilà un moment que je vous écoute injurier la mémoire de notre compagnon. Judas le traître, Judas le vendu, Judas le voleur, le cupide… Et nous ? Que faisions-nous ce soir-là tandis que le maître priait le Père et que de son front perlaient des gouttes de sang[7] ? Nous dormions du sommeil du juste. Qu'avons-nous fait lorsque les miliciens sont venus l'arrêter ? Nous avons détalé comme des lapins. Où étions-nous lorsqu'il se traînait sous les crachats vers le mont du Crâne ? Tapis dans des coins sombres de la ville, terrorisés à l'idée que l'on pourrait nous assimiler à lui. Où étions-nous lorsque le bourreau a planté ses clous et que les légionnaires tiraient au sort sa tunique ? Et lorsqu'il a crié : *Eli… Eli… lama sabactani* ? Qui d'entre nous était au pied de la croix ? Lesquels ont porté son corps en terre ?

Se tournant vers Simon-Pierre, il conclut :

— Et toi… toi Simon-Pierre… où étais-tu ?

Le disciple garde le silence.

---

7. Voir p. 290.

Il se souvient…

Il faisait froid. On avait allumé un brasero dans la cour qui jouxtait la chambre de la Pierre taillée où s'était réuni le Sanhédrin.

La tête emmitouflée, Pierre était assis devant les braises et pourtant il tremblait. Une première voix l'apostropha :

— Hé ! Montre ton visage que l'on te voie ! N'étais-tu pas avec le Galiléen ?

Une autre voix insista :

— Mais oui, je le reconnais !

— Non ! avait protesté Pierre. Non ! Je ne connais pas cet homme.

Il avait bondi sur ses pieds et avait cherché à s'écarter. Une servante l'avait saisi par le bras.

— Mais si, c'est toi ! Tu étais avec le Nazaréen.

— Vous vous trompez ! Je ne sais rien de lui !

— Ton accent te trahit, gronda un lévite. Tu es un Galiléen. Tu es l'un de ses disciples !

— Arrêtez ! Je vous répète que je ne connais pas cet homme !

À cet instant, un coq avait chanté. Pierre s'était figé.

La prédiction du maître l'avait frappé comme une gifle : « Pierre, Pierre, avant que le coq n'ait chanté, tu me renieras trois fois. »

— Silence ! s'exclame Matthieu Lévi. On a frappé.

Tous tendent l'oreille.

Rien.

Puis, deux coups. Un temps. Deux autres.

– C'est le signal, chuchote Simon-Pierre. Ce doit être mon frère.

Il s'essuie les lèvres du revers de la manche et va ouvrir.

Un homme est sur le seuil. Il se glisse dans la pièce avec l'empressement d'un fuyard.

– Tout va bien ? s'inquiète Hana. Tu es blanc comme un linge.

André ôte la capuche qui dissimule son crâne chauve et se laisse choir sur une natte.

– Tout va bien.

– Tu n'as pas été suivi ? s'inquiète Matthieu.

André répond par la négative. Son regard parcourt les visages et il demande avec une pointe d'anxiété :

– Est-il revenu ?

– Non, répond Simon-Pierre. Mais il n'a jamais dit qu'il reviendrait. Ne s'est-il pas manifesté trois fois ? Ne nous a-t-il pas donné ses dernières recommandations ? Faire de toutes les nations des disciples et leur enseigner à observer tout ce qu'il nous a prescrit.

– Oui, concède Philippe, mais la moisson est grande, et il y a peu d'ouvriers. Nous étions soixante-dix[8] dans les premiers temps. Combien sommes-nous aujourd'hui ? La plupart ont déserté.

– Nous en connaissons la raison, observe Simon-Pierre. Ils ont été scandalisés le jour où le rabbi a tenu les propos que nous savons. Mais je garde confiance. Ils reviendront, maintenant qu'ils savent qu'il est ressuscité.

---

8. Voir p. 291.

Un silence douloureux s'abat sur le groupe. André murmure :

– J'aurais voulu le revoir. Encore.

Le ton sur lequel il s'est exprimé est curieux. On y décèle une tension.

– Parle ! ordonne son frère. Quelles questions te torturent ?

Finalement, comme s'il éprouvait une souffrance indicible, André articule dans un souffle :

– Rien. Des questions qui me taraudent. C'est peut-être le chagrin.

– Dans ce cas, range ton chagrin, conseille Adaya. Il est ressuscité. Un homme qui, un jour, a guéri ma fièvre en imposant seulement sa main sur mon front ne peut être qu'un envoyé de Yahvé. Il est ressuscité !

*

Même jour. Quelque part en Judée.

Nicodème frôle du doigt les papyrus posés sur la table.

– Je ne saisis toujours pas l'utilité de ces écrits...

– Peu importe. Réponds-moi plutôt. Tu m'as affirmé il y a trois jours que mes disciples étaient convaincus de ma résurrection parce que je leur étais apparu. Tu as menti, bien sûr.

– Non ! C'est ce qu'ils affirment. D'ailleurs, ils ne sont pas les seuls. Tu n'as pas oublié Marie de Magdala[9], la

_____
9. Voir p. 292.

possédée ? Elle aussi déclare t'avoir revu. Elle raconte dans toute la Galilée qu'elle t'a parlé. Elle assure que votre rencontre s'est déroulée dans le jardin qui se trouve à proximité du tombeau.

— Encore une de vos manigances...

— Tu es sévère, rabbi, bien sévère à notre égard. Il existe une explication. Elle ne te plaira sans doute pas. La vision du sépulcre vide a suffi pour que tes disciples croient que tu es ressuscité. Comment pourrait-il en être autrement ? Tu es le Messie, le Sauveur. Les miracles que tu as accomplis en témoignent. Alors, si tes adeptes répandent des récits quelque peu... (Nicodème cherche le mot)... différents de la réalité, s'ils en rajoutent, c'est non seulement par amour pour toi, mais aussi et surtout pour essayer de convaincre les sceptiques. Car ceux-ci sont encore bien nombreux.

— Nous voilà jetés dans l'abîme du mensonge et de l'horreur. C'est donc ainsi que tout s'achève ?

Le prêtre saisit la main de Jésus dans un élan affectueux.

— Non. Au contraire. C'est ici que tout commence. Il dépend de toi que ton message perdure et se prolonge jusqu'à la fin des temps.

— En partant. En me retirant du monde.

— Je...

— Inutile, Nicodème. Je ne changerai pas d'avis.

— Rabbi, ne vois-tu pas combien ton obstination est absurde ?

— Il existe une autre voie.

— Je t'écoute.

— Ma mort. Tes gardes sont armés. Un coup d'épée, et mon sort sera réglé.

Le prêtre pousse un cri.

– Comment ? Nous t'aurions sauvé la vie pour la reprendre ?

– Sauvé la vie ? Ma vie ne vous a jamais appartenu. Elle appartient à mon Père.

Avec une expression désespérée, il libère sa main et agrippe le bras de Nicodème.

– Dis-moi ce qui se cache derrière vos agissements. Et n'invoque pas la compassion. Je n'y crois pas.

– Pourtant, c'est la stricte vérité. C'est bien la compassion qui nous a guidés. Rien d'autre. Joseph et moi sommes des Juifs pieux, en tant que tels l'injustice nous révulse. Nous avons bien décelé les motifs qui ont poussé Hanan et Caïphas à réclamer ta mort. Ils craignaient pour leur pouvoir. Une attitude inique. Nous avons refusé de la cautionner.

– Et vous me condamnez à mourir ici.

– Ou à vivre ailleurs.

– C'est hors de question !

Les deux hommes se toisent un long moment, puis Nicodème déclare d'une voix sourde :

– Très bien. Tu es libre. Pars ! Nous ne te retiendrons pas. Tu as bien entendu. Pars ! Va retrouver tes disciples. Va ! Mais je t'en conjure, avant de franchir la porte, redis-toi les mots du prophète Daniel.

Il récite, le visage entre les mains :

– « Mon Dieu, en Toi je me confie : que je ne sois pas couvert de honte ! Que mes ennemis ne se réjouissent pas à mon sujet ! »

La silhouette du prêtre semble s'affaisser. Ses yeux se voilent.

– Voilà des siècles que notre terre est en souffrance. Mille ans qu'elle attend son sauveur ! Tu es arrivé comme la lumière dans les ténèbres. Tes discours ont ranimé les âmes endormies. Israël a vu enfin celui qui l'arrachera au joug de ses ennemis. Tu veux briser cette espérance ? Alors, brise-la. Qu'importe après tout s'il nous faut patienter mille ans de plus. Nous, les Juifs, possédons une force inusable, celle qu'Adonaï a destinée à nos femmes, la *emouna*, la patience.

Nicodème se lève. Le fils de l'homme reste immobile.

– Tu es libre, murmure le prêtre.

– J'ai bien compris.

– Alors ?

– Alors, Nicodème, il m'appartient de décider de l'heure et du jour.

*

30 du mois de nisân, ville de Magdala.

Marie de Magdala est debout devant la fenêtre et fixe le paysage désert comme si elle espérait voir apparaître une silhouette familière.

Où est-il ? Comme il nous manque… Où est-il ?

La dernière fois qu'elle l'a aperçu, c'était dans le jardin de Joseph d'Arimathie, il y a plus de quinze jours. L'aube venait de poindre. Les bras chargés d'aromates, elle marchait vers le sépulcre en compagnie de Marie de Clopas, de Salomé et de Jeanne, l'épouse de l'intendant d'Hérode. Chemin faisant, toutes quatre se demandaient qui pourrait bien les aider à rouler la pierre qui scellait l'entrée du tombeau. Mais, à leur grande surprise, en arrivant sur les lieux, elles virent que la pierre avait déjà été déplacée. Affolées, elles se ruèrent à l'intérieur du tombeau. Le corps du maître avait disparu. À sa place, un jeune homme se tenait là, debout, vêtu d'une robe blanche. Constatant leur effroi, il déclara : « Ne vous épouvantez pas. Vous cherchez Jésus de Nazareth, qui a été crucifié, mais il n'est point ici, il est ressuscité. Allez dire à ses disciples et à Simon-Pierre qu'il vous précède en Galilée : c'est là que vous le verrez. » Et le jeune homme disparut à leur vue.

Prises de panique, Marie de Clopas, Salomé et Jeanne s'enfuirent, abandonnant Marie seule dans le jardin. Ses jambes tremblaient. Tout son être tremblait. Elle ne savait que penser et s'était laissé envahir par les larmes. C'est alors qu'une voix s'éleva derrière elle : « Pourquoi pleures-tu ? » Elle répondit en se retournant : « Parce qu'ils ont enlevé mon Seigneur et je ne sais où ils l'ont mis. » Un homme lui faisait face. Ses traits lui étaient inconnus. Le jardinier sans doute, se dit-elle, avant de s'exclamer : « Si c'est toi qui l'as emporté, dis-moi où tu l'as mis, et j'irai le récupérer. » Et lui de l'appeler par son nom : « Marie ! »

Alors, elle comprit et s'écria : « *Rabbouni !* »

Dans un élan spontané, elle voulut se jeter dans ses bras, mais le maître l'arrêta d'un geste de la main : « Non ! Ne me touche pas. Car je ne suis pas encore monté vers mon Père. »

Longtemps Marie avait été en souffrance. Une maladie

pleine d'épouvante. Il lui arrivait tout à coup d'être prise de vertige, comme si la terre s'ouvrait sous ses pas. Tout son corps se recroquevillait, ses jambes ne la portaient plus. Alors, elle tombait à terre, en proie à des convulsions terribles. Parfois même – ô humiliation ! – son bas-ventre se vidait de son urine, et elle restait là à se débattre contre les esprits dans cette mare impure, sous l'œil réprobateur des gens. Sept démons l'habitaient. Sept princes du monde. Pourquoi étaient-ils entrés en elle ? Avait-elle tant péché ?

Jésus lui avait expliqué : « Quand un souffle contaminé est sorti de l'homme, il erre dans des lieux sans eau pour chercher le repos ; et il ne le trouve pas. Alors il dit : "Je reviendrai dans ma maison d'où je suis sorti." Il vient et la trouve vacante, balayée, parée. Alors il va prendre avec lui sept autres souffles pires que lui, et ils entrent habiter là. Et la fin de cet homme est pire que son commencement. »

Il avait conclu : « Il en sera de même pour cet âge criminel. »

Sur le moment, ces mots lui avaient paru obscurs. Ce n'est que plus tard, lorsqu'elle l'avait interrogé à ce propos, que tout s'était éclairé. Par cette parabole, Yeshûa avait décrit l'état moral de sa génération, son amendement passager et son endurcissement toujours plus profond.

Auparavant, elle avait entendu parler du Nazaréen. Mille rumeurs couraient sur lui. D'aucuns affirmaient qu'il guérissait ceux qui étaient tourmentés par des esprits impurs, d'autres qu'il soignait les malades, qu'il rendait la vue aux aveugles et leurs jambes aux paralytiques. Certains laissaient entendre qu'il était le Sauveur. Mais des critiques aussi s'élevaient pour l'accuser de n'être qu'un imposteur et un blasphémateur. Marie, elle, ne savait trop que penser. Un rabbi de plus ? Un autre de ces prêcheurs de bonne conduite ?

Puis, un jour, sa sœur Léa avait fait irruption chez elle dans un état de fièvre qui l'avait impressionnée. D'une voix vibrante, elle avait expliqué :

« Écoute, Marie. Écoute ! J'ai assisté aujourd'hui à quelque chose d'extraordinaire. Je me trouvais aux abords du lac, lorsque j'ai vu une grande foule rassemblée autour du Nazaréen. Tout à coup, un homme a fendu les rangs et s'est jeté à ses pieds. C'était Jaïrus, l'un des chefs de la synagogue. Sa petite fille était en train de mourir. Il a adjuré Jésus de venir imposer ses mains sur elle, afin qu'elle soit sauvée et qu'elle vive. Jésus a accepté. Mais au moment où il allait suivre le pharisien, une femme atteinte d'une perte de sang – apparemment depuis de très longues années – s'est approchée de lui et a touché son vêtement. Jésus s'est retourné aussitôt et a demandé qui avait fait ce geste. La femme, effrayée, s'est laissée tomber à terre et elle a avoué que c'était elle. Lui l'a dévisagée un instant avec une tendresse que je n'ai jamais vue sur le visage d'un homme et lui a dit : "Ma fille, ta foi t'a sauvée ; va en paix, et sois guérie de ton mal." »

Marie avait souri, dubitative :

« Qui a pu témoigner que cette femme était réellement guérie ? »

Léa avait éludé la question et poursuivi :

« Comme il parlait encore, sont arrivés des gens annonçant à ce pauvre Jaïrus que sa fille venait de mourir et qu'il était inutile d'importuner davantage le maître. Mais Jésus l'a rassuré sans tenir compte de leurs paroles : "Ne crains pas, lui a-t-il dit, crois seulement." Ensuite, il est parti vers sa maison, ne permettant à personne, si ce n'est à trois de ses disciples, de l'accompagner. J'ai tout de même réussi à leur emboîter discrètement le pas. La maison de Jaïrus était entourée d'une foule de gens qui se lamentaient et poussaient de grands cris. "Pourquoi faites-vous du bruit, et pourquoi pleurez-vous ? leur a demandé le Nazaréen. L'enfant n'est pas morte, elle dort." Bien évidemment, tous se sont esclaffés. Alors, il a pris avec lui le père et la mère de l'enfant et il est entré dans la demeure. J'ai réussi à me faufiler et à observer la scène par la fenêtre. Je l'ai vu saisir la main de l'enfant et je l'ai entendu lui ordonner : "*Talitha koumi !* Lève-toi, je te le dis !" Tu ne me croiras pas. Pourtant, c'est la vérité : à peine avait-il prononcé ces mots que la fille s'est levée et s'est mise à marcher. »

La Magdaléenne avait voulu répliquer.

« Attends ! Ce n'est pas fini. Chose étonnante, Jésus s'est alors tourné vers ceux qui venaient d'être témoins de ce miracle et leur a recommandé avec la plus grande fermeté de ne jamais raconter à personne ce qui venait de se passer. N'est-ce pas incroyable ? »

C'est ce jour-là que, intriguée par le récit de sa sœur, Marie avait décidé d'aller à la rencontre du personnage. Peut-être pourrait-il la guérir de ses démons ?

Cela s'était passé un matin. Non loin d'ici. Un jour de shabbat.

L'homme était entouré de ses disciples. Ils arrachaient des épis et les mangeaient, après les avoir froissés dans leurs mains. Tout à coup, elle avait vu surgir des pharisiens qui brandissaient le poing dans leur direction en vitupérant : « Comment osez-vous braver les interdictions du shabbat ? » Marie s'était approchée. Elle n'était plus qu'à quelques pas de Jésus. Elle pouvait clairement découvrir son visage. Une figure aiguisée d'où ressortaient l'aquilin du nez et la sensualité de la bouche. Une figure minérale et des yeux d'un vert étincelant, habités d'une force contenue.

Face aux critiques des pharisiens, il avait pivoté et répliqué :

« N'avez-vous pas lu ce que fit David, lorsqu'il eut faim, lui et ceux qui étaient avec lui ; comment il entra dans la maison de Dieu, prit les pains de la Face, en mangea et en donna à ceux qui étaient avec lui, bien qu'il ne soit permis qu'aux sacrificateurs de les manger ? »

Un mouvement de foule se produisait. Indifférent, il avait repris :

« En vérité, je vous le dis, le shabbat a été fait pour l'homme, et non l'homme pour le shabbat, de sorte que le fils de l'homme est maître même du shabbat ! »

La Magdaléenne avait manqué de défaillir. Avait-elle bien entendu ? Voici qu'un Juif, l'un des leurs, osait remettre en cause les règles séculaires instaurées par leurs pères ? Simple provocation ? Ou bien cet homme avait-il compris combien le fardeau qu'on imposait à l'homme était écrasant ? Quel être, sinon un être rare, pouvait respecter sans jamais faillir la liste des *avot melakhah*, les trente-neuf interdictions de base ? Et les *tolédot*, les actions supplémentaires tout aussi prohibées, à l'exemple de celle qui interdisait à un tailleur de quitter sa maison après le coucher du soleil avec une aiguille piquée dans son habit ?

Depuis ce jour, elle n'avait cessé de marcher dans le sillage du Nazaréen, car du désert de son ventre une source était née.

Lors d'un autre shabbat, elle l'avait vu s'apprêter à entrer dans la synagogue de Capharnaüm, où il lui arrivait d'enseigner.

Un homme, paralysé de la main droite, était assis à l'entrée. Tapis dans l'ombre, des scribes et des pharisiens guettaient Jésus pour voir s'il oserait encore une fois transgresser la Loi. Avait-il lu dans leurs pensées ? C'est fort probable, car il s'approcha de l'homme qui avait la main paralysée et lui commanda de se lever et de se tenir au milieu. Se tournant ensuite vers les prêtres, il leur demanda : « Répondez-moi ! Est-il permis le jour du shabbat de faire du bien ou de faire du mal, de sauver une personne ou de la tuer ? » Les défiant du regard, il ordonna à l'homme malade : « Étends ta main. » Et sa main fut guérie.

Et tous furent emplis de fureur.

C'est alors qu'elle décida de l'aborder. Mais, en réalité, ce fut lui qui la trouva. S'armant de courage, elle s'était frayé un passage parmi la foule, les sept démons qui sommeillaient en elle s'étaient réveillés d'un seul coup. Le vertige. Le ciel renversé. Elle s'était écroulée, maudite, damnée. Enroulée sur elle-même, prunelles retournées. Ô *rabbouni ! Rabbouni,* viens à mon secours, criait son âme. Viens à mon secours ! criait sa tête. Ensuite, que s'était-il passé ? Une voix. SA voix. Chaude, comme sortie d'entre des lèvres frottées à la braise. Une voix qui sentait les astres, jaillie des profondeurs abyssales du jour et de la nuit. Une voix. Puis, une main. SA main, qui se posait sur son front alors que, tout autour, ce n'était qu'expressions de fiel et commentaires moqueurs. SA main. Elle savait les mains d'homme. Ce n'était pas une main d'homme. Dans l'instant où la peau du Nazaréen avait touché sa peau, ç'avait été comme un embrasement. En elle, les sept démons s'étaient mis à hurler. Ils vociféraient, glapissaient, invectivaient et ruaient : « Qui est-il ? Qui est-il ? D'où lui vient le pouvoir ? Qui le lui a conféré ? » Elle aurait voulu se boucher les oreilles, s'arracher à l'emprise du Nazaréen, remporter ses démons. Fuir. Tout, plutôt que ces hurlements. Mais le combat, car c'était un combat, avait duré encore. Une heure ou le temps d'un battement de cœur, elle eût été incapable de le dire.

« C'est fini, enfant de Magdala. C'est fini, ma sœur. Ils sont partis. »

Elle n'osait plus bouger, en fœtus, couchée dans le sable.

Tout ce temps, il était resté agenouillé, penché sur son corps, à un souffle de son souffle.

Il répétait :

« C'est fini, ma sœur. Ils ne reviendront plus. »

Lentement, il avait emprisonné sa main, l'aidant à se relever.

Le fiel des autres était retombé.

Les moqueries s'étaient tues.

Il l'avait attirée contre lui.

Il avait posé sa bouche contre l'oreille de Marie et chuchoté : « Demeure dans mon amour. »

Sur le moment, elle avait cru qu'il parlait de l'amour commun qui lie l'homme et la femme. Plus tard, elle avait compris qu'il parlait d'une autre forme d'amour. Celle qui unit le ciel et la terre depuis l'origine des temps.

Elle ne l'avait plus jamais quitté. Jusqu'au dernier jour, elle était restée à son côté. Et il lui avait manifesté une constante tendresse, au point, de susciter parfois des jalousies parmi les quatorze. Pourtant, la Magdaléenne n'était pas l'unique femme à suivre les traces du maître. Jeanne, l'épouse de l'intendant d'Hérode ; Chochana, la femme de Zachée le publicain ; Marie de Clopas, et Marthe, bien sûr. Chacune à sa manière apportait son soutien. Certaines, qui appartenaient à des familles riches, faisaient don d'argent. D'autres, comme Marie, de nourriture et de vêtements. D'autres encore ouvraient leur maison. En vérité, elle avait bien compris que la jalousie des disciples puisait ses racines dans cette tradition séculaire qui érige l'homme en maître tout-puissant. Pour preuve, les femmes qui accompagnaient le Seigneur n'avaient pas droit au titre de disciples. Lorsqu'un jour elle le fit observer à Jean, le fils de Zébédée, celui-ci lui rétorqua sèchement qu'il n'existait pas de forme féminine au mot disciple. Une réponse qui, sur le moment, avait eu le don d'agacer Marie, mais qui, somme toute, était naturelle : Jean, sans doute emporté par la fougue de son très jeune âge, s'était toujours vanté d'être le préféré et manifestait à l'égard du Seigneur un attachement qui frisait l'amour grec. Toujours à ses pieds, toujours devançant ses désirs, toujours cherchant à dormir au plus près de lui. Il avait même été rapporté à Marie que, le soir du dernier repas, il s'était assis près de Jésus et avait posé sa

tête contre son épaule, dans une attitude de femme amou-
reuse.

Qu'importe, puisque ce n'est ni à Jean ni à aucun des
hommes, mais à la Magdaléenne, elle seule, que le maître
était apparu après sa résurrection. Elle entre tous et toutes.
Pourquoi ? N'en déplaise aux perfides, il n'y avait jamais
eu entre eux qu'une immense tendresse. Bien sûr, elle
éprouvait à son égard un sentiment amoureux. Mais il était
de même nature que celui que le maître inspire à son élève,
le père à l'enfant. Alors, pourquoi elle ?

Elle n'a cessé de se poser la question pour, finalement,
ne trouver qu'une réponse. Dans un monde où trône la
virilité, n'a-t-il pas voulu rappeler que l'instant où Dieu
créa le premier homme, et l'instant où il créa la première
femme, l'instant où tous deux sont face à l'Ange des Ténèbres, ces instants-là sont égaux aux yeux de l'Éternel et ne
sont qu'un instant ?

Où est-il aujourd'hui ?

Elle lève des yeux embués vers le ciel, et les mots qu'il
avait prononcés lui reviennent : « Demeure dans mon
amour. »

5

1ᵉʳ jour du mois de yyar, quelque part en Judée.

Un matin, au bout de deux ans, je suis parti. J'ai abandonné Yohanane à Qoumrân et à ses spectres. M'en a-t-il voulu ? Je ne le crois pas, puisque l'avenir devait me donner raison.

Où aller ? Où trouver la vérité et le sens de tout ? Il y avait cette voix qui me soufflait des mots que je ne comprenais qu'à moitié. Certains soirs, elle résonnait aussi fort que le tonnerre ; d'autres soirs, elle était douce et chaude. Je sais depuis qu'il s'agissait de la voix de mon Père qui est dans les cieux.

De retour chez nous, à Nazareth, je découvris la maison en pleine effervescence. Ma mère avait rangé les linges dans des ballots, mon père ses outils et, secondé par Jacques, il était en train de démonter l'établi. C'est à peine si l'on me salua.

– Tu arrives à temps, grommela Joseph sans lever les yeux sur moi.

Ma mère s'est jetée dans mes bras et m'a couvert de baisers.

– Tu es revenu, mon fils !

Elle s'est répandue en une avalanche de questions et d'affirmations :

« Tu as mauvaise mine. Tu as maigri. Es-tu souffrant ? Tu dois avoir faim. Viens, j'ai préparé une salade de chicorée et il y a du bon pain de miel…

Je la rassurai comme je pus et demandai à Joseph :

– Que se passe-t-il ?

Il resta silencieux.

Jude, l'un de mes frères les plus hostiles, me lança avec ironie :

– Depuis quand ce qui touche ta famille t'intéresse-t-il ?

Je ne relevai pas et insistai auprès de mon père.

Ce fut seulement lorsqu'il se retourna que je pris conscience du changement qui s'était opéré en lui pendant mes deux années d'absence. Ses traits s'étaient creusés, la silhouette s'était voûtée et les rides avaient mangé son visage. Je me souvins alors qu'il approchait des soixante-quatorze ans.

– Nous partons, annonça-t-il. Nous quittons Nazareth. Il n'y a plus d'avenir ici pour notre atelier. Nous allons nous installer à Capharnaüm.

Je sourcillai.

– Capharnaüm ?

– Parfaitement. C'est une ville de pêcheurs. Les bateaux ont besoin d'être entretenus. On m'a dit aussi que l'on y construisait des maisons. Ce n'est pas de gaieté de cœur qu'un homme de mon âge plie bagage pour d'autres cieux. Je n'ai plus la force de me pencher sur un établi et mon temps est compté. Si je pars, c'est pour vous.

Il ajouta en se détournant :
– Pour tes frères.

Le sous-entendu ne m'échappa pas. Aux yeux de Joseph, comme pour le reste de ma famille, j'étais devenu un égaré.

Ce soir-là, je fus incapable de trouver le sommeil. Un égaré ?

Ce que j'avais dit un jour à mon père, j'en étais plus que jamais convaincu : je n'appartenais pas à ce monde. Né Juif, mais aussi fils de l'homme. Lequel des deux avait priorité ? En tant qu'enfant d'Israël, devais-je consacrer mon existence à me battre pour la liberté de mon peuple, l'épée à la main ? Ou bien le fils de l'homme était-il promis à une destinée qui concernerait non seulement le peuple juif, mais aussi les gens des nations, tous les hommes ? Changer les choses. Casser pour rebâtir. Pénétrer dans le cœur des êtres, dévaster les champs en jachère pour que jaillisse une terre neuve. Casser, pour rebâtir, car personne ne met une pièce de drap neuf à un vieil habit, sinon elle emporterait une partie de l'habit. On ne met pas non plus du vin nouveau dans de vieilles outres ; autrement, les outres se rompent, le vin se répand. En revanche, si l'on met le vin nouveau dans des outres neuves, le vin se conserve.

Le cœur du fils de l'homme suffoquait sous le poids des six cent treize commandements écrits, des mille commandements non écrits, sous les myriades de mots de la Genèse, des Nombres, du Lévitique, des Juges et des Rois, de l'Exode. Le cœur du fils de l'homme implorait, suppliait. Pitié ! Pitié, Adonaï ! Vois comme je m'ouvre et m'écartèle, mais pitié ! Libère-moi !

Changer les choses. Casser pour rebâtir. Oui. Mais comment ? D'ailleurs, d'où me venait cet orgueil ?

Ah ! combien de fois me suis-je agenouillé ! Combien de fois ai-je prié jusqu'à ce que mes genoux ne soient plus qu'une plaie, que mes membres fourbus m'implorent ? Lorsque enfin je me relevais, front moite, épuisé, je mettais mon cœur aux aguets. Élohim allait me répondre. J'allais comprendre. Mais non. Rien. Seulement le silence et le murmure lointain de la fontaine.

Capharnaüm était bien différent de notre hameau de Nazareth.

Le village était peu habité, pourtant il jouissait d'une situation privilégiée grâce à la pêche, l'agriculture et le commerce. C'était aussi un carrefour où se croisaient les nombreux voyageurs qui entraient dans le territoire d'Hérode Antipas ou le quittaient, ce qui expliquait la présence d'une garnison romaine et d'une station de douane érigée sur la grand-route impériale qui menait vers la Syrie. C'est là que j'allais rencontrer Matthieu Lévi, le collecteur de taxes.

Les maisons étaient d'une apparence moins modeste que celles de mon hameau natal. Des toits légers, faits de poutres de bois et de terre battue mélangée à de la paille, recouvraient les salles basses des maisons auxquelles on accédait par des marches de pierre placées dans les cours à ciel ouvert. C'est là que les femmes préparaient le repas, là aussi que les gens avaient l'habitude de dormir durant l'été, couchés sur des nattes à même le sol.

De notre nouvelle demeure, je pouvais apercevoir les eaux scintillantes du lac de Génésareth et le va-et-vient des embarcations de pêcheurs. Très vite, je me sentis gagné par une sérénité que je croyais perdue.

Cinq années passèrent. Je fis de mon mieux pour apporter ma contribution aux travaux que nous commandaient les gens de la ville.

C'est dans le courant du mois de adar*, le 15, précisément, que le chagrin frappa notre maison. La veille, nous avions célébré Pourim, la fête la plus joyeuse de notre calendrier, puisqu'elle commémore le salut de nos frères qui étaient alors menacés d'extermination par les Perses. Avec nos voisins, nous avions échangé des mets, fait des offrandes, avant de manger les gâteaux aux figues que ma mère avait préparés.

Depuis plusieurs semaines la santé de mon père déclinait. Mais, ce soir-là, il paraissait revigoré par l'atmosphère de fête. Ce n'était qu'une illusion. À peine le dîner terminé, il s'affaissa, le front contre la table.

On l'allongea sur son lit. Il haletait.

Je me laissai choir sur le sol près de lui. Incapable d'articuler le moindre mot. J'aurais voulu saisir sa main, mais je ne pouvais pas. Je voyais clairement l'Ange des Ténèbres qui se tenait sur le seuil de la chambre. Je le voyais. Je me disais qu'il aurait suffi que je me dresse entre lui et sa proie : il battrait en retraite. Cependant, j'étais comme frappé d'un interdit. Ce n'était pas la face répugnante de la mort qui me paralysait ainsi, la mort n'est qu'un passeur. Non, j'étais rendu immobile par la vision de la vie qui s'en allait. À l'instant de rendre son âme au Seigneur,

---

* Courant mars.

Joseph tourna soudain son visage dans ma direction et me fixa comme s'il me voyait pour la première fois. Ses lèvres articulèrent quelque chose que personne n'entendit. Je lus : « Mon fils. »

J'en fus bouleversé. Jusqu'à cette heure, j'avais cru que les liens qui nous unissaient n'étaient pas de même nature que ceux qui l'attachaient à Jacques, Jude et les autres.

C'est parce que je portais en moi le terrible secret.

Un secret que ma mère, une nuit d'abandon, m'avait confié.

L'événement[10] s'était passé alors qu'elle venait d'entrer dans sa seizième année.

Son corps s'était métamorphosé. Sa taille s'était alourdie. Au début, Joseph s'était dit que Marie devenait femme. Il se trompait : elle allait être mère.

Dans les premiers jours du mois d'eloul*, alors que le soleil était au plus chaud sur Nazareth, elle s'était agenouillée devant Joseph et lui avait fait son aveu :

– J'attends un enfant.

Elle s'était empressée de balbutier :

– Mais aussi vrai qu'existe le Seigneur mon Dieu, je suis vierge !

Il manqua mourir. Il se frappa le visage et se jeta à terre en gémissant :

– Quel front lèverai-je devant le Seigneur Dieu ? Quelle prière lui adresserai-je ? Qui m'a trahi ?

Elle supplia :

---

10. Voir p. 293.
* Août.

— Je suis pure et je n'ai pas connu d'homme.

Mais lui ne l'écoutait pas. Elle ne pouvait que mentir comme mentent les enfants, de ces mensonges si absurdes que personne ne peut y croire. Il répétait sans cesse :

— Qui a commis ce crime sous mon toit ? Qui m'a ravi la vierge et l'a souillée ? L'histoire d'Adam se répéterait-elle à mon sujet ? Car, tandis qu'Adam faisait sa prière de louange, le serpent s'approcha et surprit Ève seule ; il la séduisit et la souilla. Voilà qu'aujourd'hui, la même disgrâce me frappe !

Il saisit ma mère par les épaules et la secoua.

— Pourquoi t'es-tu déshonorée, toi qui as été élevée dans le Saint des Saints ?

Elle n'avait qu'une seule réponse sur les lèvres :

— Je suis pure et je n'ai pas connu d'homme.

Elle ne mentait pas.

— Alors, d'où vient le fruit de ton sein ?

— Je l'ignore ! J'ignore d'où il vient.

Et si elle disait vrai ?

Que faire ? s'interrogea-t-il. Que faire d'elle ? Si je garde le secret sur sa faute, je contreviendrai à la Loi du Seigneur. Mais si je la dénonce aux fils d'Israël, alors je livre peut-être un sang innocent à la peine capitale. Que faire ?

Les semaines et les mois passèrent emplis de tourments.

Joseph resta cloîtré, incapable d'affronter le regard des autres, persuadé que tous les habitants de Nazareth étaient au courant de l'infamie. Ainsi, jusqu'au jour où un scribe, envoyé par les prêtres, vint lui rendre visite. C'était peu de jours avant ma naissance. Il vit le ventre de ma mère et comprit. Aussitôt, il retourna à Jérusalem, se précipita chez le grand prêtre et lui annonça :

— Joseph a commis une faute ignoble. Il a déshonoré la jeune fille que le temple du Seigneur lui avait confiée !

Comme il refusait d'y croire, le scribe lui déclara :

— Envoie tes gens et tu verras que la jeune fille est enceinte.

— Qu'on amène le couple ! ordonna-t-il alors.

Un messager se rendit à Nazareth et somma Joseph de se rendre au Temple sur-le-champ.

Joseph se révolta :

— La fille est fragile. C'est un long voyage. De plus, avec le flux des voyageurs, nous ne trouverons pas d'endroit où nous loger.

Il ne mentait pas. Nous étions à l'approche de Pâque. Pour cette occasion, une multitude de visiteurs se rendaient à Jérusalem. Le messager ne voulut rien savoir.

C'est à dos d'âne qu'ils franchirent les cent trente milles qui séparent Nazareth de la cité de David. Ainsi que Joseph l'avait pressenti, ils ne trouvèrent pas de place dans les auberges et furent contraints de faire halte dans des granges.

Une fois arrivés, ils se rendirent au Temple où les prêtres les attendaient.

— Marie, se récrièrent-ils, qu'as-tu fait là ? As-tu oublié le Seigneur ton Dieu, toi qui fus élevée dans le Saint des Saints ? Qu'as-tu fait là ?

Elle ne put que gémir les mots qu'elle avait dits à Joseph :

– Aussi vrai qu'existe le Seigneur, je suis pure devant Sa Face et je n'ai pas connu d'homme.

Les prêtres interpellèrent alors Joseph :

– Et toi, comment as-tu osé ?

Joseph protesta :

– Aussi vrai qu'existe le Seigneur, je suis pur vis-à-vis d'elle.

Ils menacèrent :

– Ne rends pas de faux témoignage ! Nous voulons la vérité !

Joseph nia. Il nia de toutes ses forces.

Après un long moment, les prêtres ordonnèrent :

– Qu'on emmène la fille auprès d'une sage-femme. Elle nous dira ce qu'il en est.

Ce qui fut fait.

Une heure plus tard, la sage-femme arrivait au Temple en tenant Marie par la main. Elle avait le teint pâle des agonisants et tremblait de tous ses membres.

– Alors ? s'enquit le grand prêtre.

– C'est de la magie ou bien un miracle. Cette enfant est enceinte et pourtant elle est vierge ! L'hymen est intact.

– Veux-tu répéter ?

– Comme je vous vois ! Elle est enceinte, mais l'hymen est intact.

Elle trembla de plus belle.

On la paya et on la renvoya.

Confusion. Conciliabules. Comment était-ce possible ? Peut-on verser de l'eau dans une jarre scellée ?

Après un moment, le grand prêtre déclara :

– Vous avez tous entendu les affirmations de la sage-femme. La fille est enceinte. C'est un mystère. Il serait vain d'essayer de l'élucider. Un enfant va naître et il n'a point de père.

Posant son regard sur Joseph, il poursuivit :

– Tu vas épouser Marie.

Joseph protesta :

– Je suis un vieillard et elle est une toute jeune fille ! Ne vais-je pas devenir la risée des fils d'Israël ?

– Joseph, menaça le prêtre, crains le Seigneur ton Dieu, et souviens-toi du sort que Dieu a réservé à Dathan, Abiram et Koré. La terre s'entrouvrit et les engloutit tous à la fois, parce qu'ils Lui avaient résisté. Et maintenant, crains de semblables fléaux sur ta maison !

C'est ainsi que ma mère devint l'épouse de Joseph.

Durant tout le chemin du retour, ils n'échangèrent pas un seul mot. Marie avait le ventre brûlé par l'humiliation. Joseph était dévoré par mille questions. Un miracle, avait suggéré la sage-femme. Ou de la magie. Point de magie. Ce devait être un miracle. Un signe de Dieu.

Une fois à Nazareth, Joseph prit Marie entre ses bras et la serra contre lui.

– Je te demande pardon. J'ai douté de ton honnêteté. Mais c'est fini. Nous sommes toi et moi confrontés à quelque chose qui nous dépasse. Nous n'en parlerons plus jamais. Sois rassurée : ton enfant, je le fais mien.

C'est à partir de ce jour qu'il connut Marie.

Lorsque ma mère me révéla toutes ces choses, la première question qui me brûla les lèvres fut :

– Mais alors, comment ? Qui ?

Des larmes brouillèrent ses yeux. Elle baissa la tête.

— Me croirais-tu ? dit-elle à voix basse, me croirais-tu si je te disais que ce qui s'est passé oscille aujourd'hui encore entre rêve et réalité ? L'ai-je réellement vécu ? Je sais seulement l'image d'un homme. Un homme ? Non. Un enfant comme moi. Il n'avait pas dix-sept ans. Il venait d'ailleurs. Il avait des traits d'ange. Quand il m'a pris la main et qu'il a appuyé ses lèvres au creux de ma paume, j'ai frémi. Il paraissait si fragile. Bien plus que je ne l'étais. Il m'a dit que j'étais jolie. Et c'était doux. Nous nous sommes allongés l'un près de l'autre, puis il s'est penché sur moi. J'ai senti son torse imberbe sur ma poitrine naissante et j'eus l'impression que le sol se soulevait. Nous sommes restés ainsi longtemps à dériver entre aube et crépuscule. Puis, soudain, un éclair dans le ciel. Je fus prise de peur. Je m'arrachai à lui. Des éclairs encore. Je défroissai ma robe et je courus vers la maison. La pluie s'est mise à tomber. Je ne l'ai plus jamais revu.

Dans un élan désespéré, elle emprisonna ma main.

— Tu dois me croire ! Je suis pure devant la face du Seigneur. Je n'ai pas connu cet homme. Sa force n'a pas pris possession de moi. D'ailleurs, la sage-femme l'a confirmé. Tu dois me croire !

Marie… Moi, ton fils, comment aurais-je douté ?

Plus tard, beaucoup plus tard, grâce à cet aveu, j'ai compris la manière dont certains m'apostrophaient : « N'est-ce pas le charpentier, le fils de Marie ? » De Judée en Samarie, jamais personne n'appelle un homme en faisant référence à sa mère, plutôt qu'à son père.

Et le jour où je débattais dans le Temple, il y avait eu cette allusion perfide lancée par les pharisiens :

« Nous au moins, nous ne sommes pas des enfants illégitimes. »

Je n'ai plus jamais questionné ma mère, ni cherché à apprendre le nom de l'adolescent aux traits d'ange. Mon cœur, mes yeux n'ont pas connu d'autre père que Joseph.

Jacques et moi allâmes acheter de la myrrhe, de l'aloès et un linceul, tandis que ma mère et mes sœurs procédaient à la *tahara*, le lavage du corps. Quand nous revînmes, nous enveloppâmes notre père dans son châle de prière, non sans avoir ôté au préalable sa partie décorative et découpé l'un des quatre coins, afin de le rendre impropre à l'usage. Puis nous le plaçâmes dans son linceul.

Quelqu'un récita le *kaddish*.

L'enterrement eut lieu le jour même. La cérémonie terminée, nous rentrâmes à la maison. Tous ceux qui avaient été en contact avec le cadavre allèrent aux bains pour se purifier. Selon la coutume, trente jours de deuil furent décrétés pendant lesquels il fut interdit de se raser, d'étudier la Torah, de travailler, de se laver, d'échanger des salutations ou de porter des vêtements frais.

6

2 du mois de yyar. Césarée. Résidence de Pilate.

Ponce Pilate fait les cent pas dans la salle de réception de sa résidence. D'un instant à l'autre, Hérode Antipas va entrer. Deux jours plus tôt, l'Iduméen lui a fait savoir qu'il serait honoré si le préfet voulait bien lui accorder une audience, soulignant qu'il s'agissait d'une affaire urgente. Une affaire urgente ? Encore une histoire d'impôts, songe Pilate. Le vieux renard, toujours plus gourmand, veut sans doute exiger une part plus importante sur les revenus de la taille. Tibère ne verrait pas la démarche d'un très bon œil.

L'empereur a déjà accordé à son vassal une totale indépendance dans la gestion des territoires placés sous sa tutelle, aussi longtemps, bien sûr, que les décisions ne contreviendront pas à la politique impériale. Jusqu'ici, force est de reconnaître que l'homme mène rondement ses affaires. Un renard. Aucun autre nom ne pourrait mieux s'appliquer à ce personnage passé maître dans l'art de ménager l'eau et le feu. Il frappe monnaie, tout en se gardant bien d'y graver l'image d'un quelconque être vivant afin de respecter les sensibilités juives, et dans le même temps fait recouvrir de peintures d'animaux les murs de son palais d'hiver de Jéricho. Un renard, doublé d'un jongleur.

Pour s'attirer les bonnes grâces des religieux, il s'est lancé dans l'agrandissement du Temple bâti par son père, mais il pressure le peuple. Dans un pays encore laminé par les folles dépenses d'Hérode le Grand, cette attitude ne peut qu'entretenir un sentiment de rejet et de révolte.

Et puis, il y a les méandres de la vie intime d'Antipas. Une vraie provocation pour les gens d'ici. Marié dans un premier temps à une princesse nabatéenne, fille du roi Harethat, il n'a rien trouvé de mieux que de la répudier pour épouser Hérodiade, la femme de son demi-frère Philippe. Aux yeux des Juifs, c'est le blasphème par excellence. Pire encore : une fois dans la place, Hérodiade a exigé du tétrarque qu'il renvoie sa première femme, alors que rien dans la Loi juive n'interdit à un homme de vivre avec plusieurs épouses.

Hérodiade. Quelle créature ! Envoûtante, mais à l'ambition dévorante. Tôt ou tard, cette femme entraînera le tétrarque au fond d'un abîme.

Dans un cliquètement d'armures et de lances, la voix d'un huissier arrache le préfet à ses réflexions.

Hérode apparaît. Il n'est pas venu seul. Un homme l'accompagne. Dans la silhouette courtaude, vêtue d'amples braies, Pilate reconnaît immédiatement Khuza, l'intendant nabatéen du prince. Une escorte les suit.

Le préfet s'avance vers eux tout en prenant le temps de détailler la tenue de l'Iduméen. Robe blanche. Ceinture ciselée d'or, ornée de pierres précieuses. Bottines en peau d'hyène. Furtivement, Pilate jette un œil sur ses propres sandales aux épaisses semelles cloutées. Bien moins élégantes, se dit-il, mais sûrement plus résistantes.

Il reporte son attention sur les traits d'Hérode. Le personnage n'a pas changé depuis leur dernière rencontre. Le cheveu est toujours aussi long et noir. Le teint toujours olivâtre. La chair molle et plissée de son visage continue de lui donner un air maussade.

– Sois le bienvenu, lance Pilate en s'efforçant de glisser dans sa voix une once de sincérité. As-tu fait bon voyage ?

– Fatigant. La route est longue de Sepphoris à Césarée. Les mouches, la chaleur et l'odeur des chameaux n'ont jamais fait bon ménage sur une litière.

– C'est ce que je me suis toujours dit.

Le tétrarque désigne son compagnon.

– Tu connais Khuza, mon intendant. J'ai tenu à ce qu'il m'accompagne, car il n'est pas étranger à l'affaire qui nous concerne.

Pilate hoche la tête et invite ses hôtes à prendre place près de la fenêtre ouverte sur la mer. Plusieurs sièges forment un cercle autour d'un grand plateau de cuivre ciselé sur lequel on a disposé une cruche et des coupes. Pilate s'installe le premier, en prenant soin de se placer à contre-jour.

– Du jus de tamarin ?

Les deux hommes acquiescent. Le préfet remplit deux coupes d'un breuvage brun doré, tend la première au prince et la seconde à son intendant.

— Si nous parlions du but de ta visite ? Ton message mentionnait une affaire urgente.

Hérode boit une rasade de tamarin et contemple sa coupe, l'air songeur.

— Te souviens-tu du Nazaréen que les corbeaux du Sanhédrin t'ont contraint à mettre à mort ?

Pilate plisse le front.

— Il y a quelques jours encore, j'en parlais avec mon épouse. Pourquoi ?

En guise de réponse, le tétrarque invite Khuza à prendre la parole.

— Seigneur préfet, j'ai quelque peine à l'avouer, mais mon épouse, Jeanne, faisait partie des adorateurs du Nazaréen. Elle s'est même rendue au pied de la croix le jour où il a été crucifié. Bien évidemment, j'ai maintes fois tenté de la raisonner, mais sans succès.

Pilate reste silencieux. Il attend la suite.

— Il y a quelques jours, reprend Khuza, voilà que ma femme vient me trouver pour m'annoncer une nouvelle pour le moins étonnante. Elle revenait de visiter l'une de ses amies, Salomé...

À peine l'intendant a-t-il prononcé ce nom que la vision d'une autre Salomé traverse les pensées du préfet. Salomé. La fille d'Hérodiade.

Khuza poursuit :

— Il se trouve que Salomé n'est autre que la mère de deux disciples du Galiléen, les frères Zébédée. D'après elle...

Khuza prend une profonde inspiration avant de chuchoter :

– D'après elle, Jésus serait revenu d'entre les morts.

Pilate hausse les épaules.

– Rien que de très banal.

– Comment ? s'étonne Hérode.

– Mes agents m'ont rapporté les mêmes ragots. J'espère que tu n'accordes pas foi à ces sornettes ?

Le prince élude la question :

– Permets à Khuza de poursuivre son récit.

– Je ne me suis pas privé de dire à mon épouse ce que je pensais de ces fadaises. Cependant, voilà que le lendemain, elle revient, accompagnée de son amie. Jeanne est ainsi. Lorsqu'une idée s'incruste dans sa tête, rien ne peut l'en détourner. Et Salomé de me confirmer l'information. Selon elle, non seulement ses fils, Jacques et Jean, auraient vu Jésus, mais ils auraient partagé un repas avec lui en compagnie d'une dizaine d'autres personnes, dans la maison d'un dénommé Simon, à Capharnaüm.

– Fariboles !

Il se penche vers les deux hommes.

– Ne voyez-vous pas ce qui est en train de se passer ? Ces gens…

– Patience, je t'en prie, l'interrompt Hérode. Laisse mon intendant finir son récit.

Khuza poursuit :

– Surmontant mon scepticisme, j'ai voulu en avoir le cœur net. J'ai ordonné à deux de nos hommes de se rendre à Capharnaüm et de surveiller discrètement la maison de ce Simon. Avant-hier soir, ils ont aperçu un petit groupe qui partait en direction du lac. Six individus. Des pêcheurs. Tous des disciples du Nazaréen. Ils les ont suivis et les ont vus prendre place sur une barque. Mes hommes sont restés toute la nuit à les épier. À l'aube, la barque amorça son retour vers le rivage. C'est au moment où elle ne se trouvait plus qu'à deux cents coudées environ que nos espions le virent...

— Virent qui ?

— Le Nazaréen.

Le préfet crut avoir mal entendu.

— Répète ?

— Jésus. Il est apparu sur le rivage.

— C'est impossible !

— Seigneur préfet, mes hommes sont dignes de confiance. Ils n'ont pas pu se tromper.

— Comment ont-ils su qu'il s'agissait du Nazaréen ?

— Parce qu'ils avaient déjà eu l'occasion de le croiser. Au palais même de mon seigneur.

— C'est vrai, confirme Hérode. Rappelle-toi. Tu me l'avais envoyé pour que je statue sur son sort. J'ai cru comprendre que tu n'étais pas très convaincu de la culpabilité de l'homme.

— Je ne l'étais pas, en effet. Mais je n'ai pas eu le choix. Tu connais les prêtres et l'influence qu'ils ont sur la plèbe. De surcroît, je te rappelle que Jésus était galiléen. Donc, sous ta juridiction. Mais revenons à cette affaire... Ainsi, tes hommes affirment que c'était lui...

— Parfaitement.

— Ensuite, que s'est-il passé ?

— Il a apostrophé les pêcheurs qui, apparemment, revenaient bredouilles, et leur a suggéré de jeter leur filet du côté droit de la barque. Ce qu'ils firent. Quelques instants après, ils n'étaient plus en mesure de remonter leur filet, tant il était lourd de poissons.

Au fil du récit, les traits de Pilate se sont tendus. Maintenant, il arbore un masque de cire.

– Puis-je continuer ? s'inquiète Khuza.

Le préfet fait oui de la tête.

– Alors, l'un des pêcheurs s'est mis à hurler : « C'est le Seigneur ! C'est le Seigneur ! » Aussitôt, un autre enfila son vêtement et sa ceinture, car il était nu, et se jeta à la mer, pris d'effroi sans doute. Ses compagnons lui firent signe de remonter et ils regagnèrent le rivage. Entre-temps, le Nazaréen avait allumé des charbons. Quand le groupe débarqua, il ordonna de ramener le filet et les invita à manger. Tous le dévisageaient avec stupeur. Pas un seul d'entre eux n'osait proférer le moindre mot.

À ce stade de son exposé, Khuza sort un petit rouleau de papyrus de la poche de ses braies.

– Pardonne-moi, seigneur préfet, mais j'ai dû noter les propos qui suivent, tels que mes hommes me les ont rapportés.

Il reprend sur un ton presque récitatif :

– Après qu'ils eurent mangé, le Nazaréen interpella celui qui s'était jeté dans les flots et lui demanda : « Simon, fils de Jonas, m'aimes-tu plus que ne m'aiment ceux-ci ? – Oui, Seigneur, répondit l'homme. Tu sais que je t'aime. » Alors, le Nazaréen lui dit : « Pais mes agneaux. » Il réitéra sa question : « Simon, fils de Jonas, m'aimes-tu ? » Et, obtint la même réponse. Le Nazaréen lui dit : « Pais mes brebis. » Et une fois encore, il lui demanda s'il l'aimait. Alors le dénommé Simon se récria : « Seigneur, tu sais toutes choses, tu sais que je t'aime ! – Pais mes brebis, répéta le Nazaréen. » Et il ajouta : « En vérité, quand tu étais plus jeune, tu te ceignais toi-même, et tu allais où tu voulais ; mais quand tu seras vieux, tu étendras tes mains, et un autre te ceindra et te mènera où tu ne voudras pas. » Voilà, seigneur préfet. Je vous ai tout dit.

– Montre-moi ce papyrus, commande Pilate.

L'intendant obtempère.

– Que signifie cette dernière phrase ? Cela ressemble à des recommandations secrètes.

– C'est aussi mon impression, approuve Hérode.

– C'est impensable… ! Quelqu'un essaye de nous leurrer.

– Non, préfet ! Tout ce que tu viens d'entendre est conforme à la vérité. Il faut nous rendre à l'évidence.

– L'évidence ?

– Jésus est vivant. Il est vivant, pour la raison qu'il n'est jamais mort.

Le souffle du préfet s'est accéléré. Une scène vient de lui revenir à l'esprit. Il revoit clairement les deux prêtres venus réclamer la dépouille du condamné. Cela s'était passé moins de trois heures après qu'il eut été mis en croix.

« Il est déjà mort ? » Il leur avait même exprimé son étonnement devant un décès aussi fulgurant. Non. Le légionnaire lui avait bien confirmé le trépas. Et s'il n'avait été qu'évanoui ? Au fond, l'élément le plus troublant était l'empressement des prêtres à vouloir récupérer le condamné. Pour quelle raison deux membres du Sanhédrin, dont l'un était le propre conseil de Caïphas, se seraient tout à coup intéressés à l'ennemi même du Sanhédrin ? Un complot ?

Pilate doit reconnaître que, jusqu'à cet instant, il ne s'est pas posé la question.

Essayant de maîtriser la nervosité qui s'est emparée de lui, le préfet déclare :

— Très bien. Mettons qu'il soit vivant. Qu'est-ce que cela change ?

— Tu ne vois donc pas la menace qu'il représente ! Le Nazaréen est fait du même bois que ce Yohanane, celui qu'on appelait le baptiseur. Un illuminé qui consacrait son temps à attiser la haine du peuple contre mon épouse et moi. Il me reprochait de partager mon lit avec la femme de mon frère, Philippe. Même dans sa geôle, il continuait de vociférer que mon palais puait le péché, l'injustice, la fornication, le mensonge ! Si je ne l'avais fait taire, le pays serait à l'heure qu'il est à feu et à sang !

— Décapiter un homme est en effet le moyen le plus sûr de le réduire au silence, observe Pilate d'un ton faussement approbateur.

— Je n'avais pas le choix ! C'est lui qui m'a forcé.

— Ne serait-ce pas plutôt Salomé, la fille de ta femme ?

Khuza se racle la gorge et baisse les yeux, gêné.

Hérode secoue la tête.

— Ma belle-fille n'y est pour rien. Elle n'a fait que m'aider à prendre une décision que je repoussais sans cesse. Parce que je ne souhaitais pas la mort du baptiseur. Pour preuve, longtemps je me suis contenté de le garder enfermé dans la forteresse de Machéronte. C'est la sagesse de Salomé qui a eu raison de mes scrupules.

Pilate retient un sourire. Sa sagesse ? Ou ses fesses ? Seize ans à peine, en se trémoussant sous le regard salace de son beau-père, cette diablesse avait allumé un véritable incendie. Le temps d'une danse, le bas-ventre d'Antipas avait pris le dessus sur son cerveau. Une fois la sarabande terminée, le tétrarque s'était écrié : « Demande-moi ce que tu voudras et je te le donnerai, fût-ce la moitié de mon royaume ! » Et la belle enfant – évidemment inspirée par sa mère – l'avait défié : « Je veux qu'à l'instant tu me donnes sur un plat la tête de Yohanane, le baptiseur ! » Hérode s'était exécuté.

– Préfet ! M'écoutes-tu ?

L'interpellation de l'Iduméen ramène Pilate sur terre.

– Bien sûr, bien sûr...

– Oui. Le Nazaréen est de la même trempe que le baptiseur. Je l'ai compris au premier coup d'œil. Le jour où on me l'a amené au palais, je pensais me trouver face à l'un de ces faux messies qui infestent nos villes. Ce fut tout le contraire. Il se dégageait de cet individu une force mystérieuse dont je soupçonnai qu'elle eût été capable d'ébranler les plus hautes murailles. Je lui ai demandé quel but il poursuivait. Il m'a répondu : « Permettre l'avènement du royaume de mon Père. » Je me suis exclamé : « Tu cherches donc à me renverser ? » Il a gardé le silence. J'ai insisté. Sans succès. Je n'ai pas pu lui arracher un mot de plus. Entrevois-tu à présent le danger ?

Pilate laisse tomber, comme pour se rassurer :

– Si un soulèvement devait survenir, il serait vite maté.

– Tu oublies un élément de taille : mon beau-père, Harethat. Il ne m'a jamais pardonné l'humiliation infligée à sa fille. Il attend l'occasion de se venger. Il est là, tapi dans sa ville de Petra. Si nous étions la proie de conflits intérieurs, il serait capable de prêter main-forte aux insurgés. « Aplanissez le chemin du Seigneur », proclamait le baptiseur. Je me suis souvent demandé s'il ne parlait pas du chemin qui mène de Petra à Jérusalem.

— Tu oublies que tu es sous la protection de Rome.

— Et crois-tu que Rome aurait plaisir à se retrouver dans un conflit qui l'opposerait non seulement à la population, mais aussi à une armée étrangère ? Car dis-toi bien que si Jésus est toujours vivant – et tout porte à le croire –, il va recommencer à battre la campagne et à semer le désordre. À la différence que, cette fois, ce n'est pas en simple agitateur qu'il s'adressera aux foules, mais en héros qui a vaincu la mort ! Pense un instant à l'effet que son message produira sur ceux qui l'écouteront. Qui osera mettre ses propos en doute ? Qui pourra lui barrer la route ? Toi ? Mes troupes ? La milice du Temple ? Caïphas ? Hanan ? Personne ! Ce sera la fin du monde...

Et Hérode de conclure d'une voix lugubre :

— Et notre fin à tous...

D'un geste nerveux, le préfet soulève la coupe vide, l'effleure du doigt comme pour sentir les aspérités de la ciselure.

« Mon royaume n'est pas de ce monde », lui a affirmé Jésus. Aurait-il menti ? Pilate possède suffisamment d'expérience pour déceler le vrai du faux. Jésus était sincère. Cependant, il est conscient aussi de l'extrême versatilité de l'être humain confronté au vertige du pouvoir. S'il existait une chance, une seule, pour qu'Hérode ait raison, alors, effectivement, l'affaire serait grave et pourrait donner naissance à de nouveaux troubles. Des émeutes, il en a déjà brisé par le passé. Sa volonté d'affirmer la suprématie romaine a été à l'origine de bien des conflits. Mais comment mener une politique et une administration objectives, lorsqu'il faut plaire à Rome ? Un an plus tôt, il a eu la malencontreuse idée d'introduire dans Jérusalem, la nuit, et en secret, des étendards impériaux à l'effigie de l'empereur. S'en est suivi un drame qu'il n'est pas près d'oublier. Une autre fois, il s'est servi dans la caisse du Temple pour financer un aqueduc, ce qui a déclenché une véritable insurrection. Pour y mettre fin, il a mêlé à la foule révoltée des légionnaires déguisés en civils. Il leur avait bien recommandé de ne pas se servir de leur épée et de n'utiliser que des gourdins. Mais l'affaire a mal tourné. De nombreux Juifs ont trouvé la mort, les uns sous les coups, les autres en se piétinant mutuellement dans leur fuite. Si une nouvelle révolte devait éclater, ni Tibère ni le légat de Syrie ne le lui pardonneraient.

– Très bien, que proposes-tu ?

– Que nous mettions tout en œuvre pour retrouver le Nazaréen avant qu'il ne soit trop tard.

– Pas facile, voire impossible. Rien ne ressemble plus à un Juif qu'un autre Juif. Et il pourrait être n'importe où. Ici même, à Césarée, en Galilée, ou encore en Samarie.

Khuza écarquille les yeux. Hérode part d'un éclat de rire.

– Voilà quatre ans que tu vis dans ce pays, et tu n'as toujours pas saisi les subtilités qui le composent ? Aucun Juif digne de ce nom n'irait trouver refuge chez les Samaritains !

– Pour quelle raison ?

— Parce que c'est une race d'impurs ! Selon un livre sacré, le Livre des Rois, dans une époque lointaine, la plupart des habitants du royaume de Samarie ont été déportés en Assyrie. Leur territoire fut repeuplé par des tribus étrangères, donnant naissance à une génération imprégnée d'influences païennes. De plus, les Samaritains estiment que le lieu élu de Dieu n'est pas situé sur le mont Sion comme l'indique le Deutéronome, mais sur le mont Garizim, non loin de là. Ils y ont même érigé un temple, pour bien marquer leur différence avec celui de Jérusalem. Non, préfet. Jamais un Juif ne se réfugierait en Samarie.

Pilate n'écoute plus depuis un bon moment déjà. Ces histoires de livre sacré, de Deutéronome, de montagne élue par un Dieu lui apparaissent comme autant d'inepties.

Hérode revient à la charge :

— J'en conviens. Ce n'est pas simple. Cependant, ne rien faire serait une grave erreur.

Pilate soupire.

— Je vais donner des ordres, mais sans illusion.

Il se lève, signifiant ainsi que l'entrevue touche à son terme. Hérode et Khuza l'imitent.

— Quand je pense que nous revoilà confrontés à cet imposteur, peste le souverain.

— Mon ami, nous sommes tous des imposteurs ! En ce bas monde, nous prétendons tous être quelque chose que nous ne sommes pas.

— Tu t'égares. Je ne me suis jamais considéré comme tel.

Le préfet se maîtrise pour garder les mots enfermés dans sa gorge. Hérode, pas un imposteur ? Si son père Hérode le Grand n'avait reçu le soutien d'Antoine et d'Octave, qui l'avaient proclamé roi de Judée par le Sénat romain, s'il n'avait obtenu l'appui des légions pour briser les Parthes qui lui avaient dérobé la Galilée, jamais il ne serait là où il est aujourd'hui. D'ailleurs, il s'en est fallu de peu pour qu'il ne soit dépouillé de tout, son père ayant changé plusieurs fois son testament.

Pilate le rassure avec un sourire.

– Tu es l'exception.

Une fois seul, le préfet retourne vers la fenêtre et fixe la nappe tranquille et bleue qui s'étend à perte de vue.

Un masque, se dit-il, cette sérénité n'est qu'un masque. Jésus est vivant, pour la simple raison qu'il n'est jamais mort.

Il déplace son regard en direction de la ville. Une silhouette furtive longe les murs de l'amphithéâtre. Le Nazaréen, peut-être ?

« Il est déjà mort ? »

La question lui revient de plein fouet. On l'aurait donc leurré ?

Il pivote sur les talons et crie d'une voix forte :

– Marcellus !

Un centurion apparaît aussitôt sur le pas de la porte. Comme si, durant tout ce temps, il n'avait fait que guetter l'appel.

– Oui, seigneur préfet ?

– Je veux que tu te rendes immédiatement à Jérusalem accompagné par une escorte. Les prêtres, Joseph d'Arimathie et Nicodème, je les veux ici ! Pieds et poings liés, s'il le faut.

7

Quelque part en Judée, même jour.

Jésus passe sa main sur son front. Il est brûlant.

La tempête gronde en lui. Bientôt, elle prendra possession de son esprit. Alors, que se passera-t-il ? C'est parce qu'il n'a écouté que la tempête qu'un jour du mois de tevet, il s'est fabriqué un fouet de fortune à l'aide de cordes et s'est jeté sur les marchands qui souillaient la Maison de son Père, renversant les étals, bousculant les changeurs, dispersant brebis et agneaux, frappant les cages où roucoulaient les pigeons. Emporté par sa furie, il a frappé la poitrine d'un vendeur d'encens et l'homme s'est écroulé, la respiration coupée. Cris, vociférations, injures s'élevaient de partout, mêlés au tintement affolé des bracelets des femmes. À quelques pas, les lévites, les scribes et les prêtres l'observaient, engoncés dans leurs habits de deuil. Des statues. Ils ne disaient mot.

C'est à ce moment précis qu'il sut qu'il venait de s'attirer la haine du clergé, une haine implacable, qui le poursuivrait jusqu'à sa mort : désormais ses jours étaient comptés. Il s'était attaqué au Saint des Saints, non pas celui posé dans le cœur du Temple, fermé par un double voile, sans lumière, mais à l'âme grossière des religieux. C'est du Temple qu'ils puisent leurs revenus, qui sont considérables. Pas une seule transaction qui ne se déroule sans qu'ils aient prélevé leur dîme. Pas une pièce de monnaie qui ne change de mains sans que leur soit versée une part substantielle au passage. Chaque agneau immolé, chaque brebis, chaque goutte de sang versé est pour eux source de profit.

D'ailleurs, ce n'est pas uniquement les prêtres qui prospèrent grâce au Temple. Il y a les hôteliers qui hébergent les pèlerins à l'occasion de la Pâque, les marchands d'animaux de sacrifice, les tanneurs qui travaillent les peaux de bêtes offertes, les changeurs bien évidemment, les vendeurs d'encens et des dizaines d'autres corporations.

Si ce monde de l'argent venait à disparaître par sa faute à lui, Jésus, les prêtres, les commerçants n'auraient d'autre choix que la mendicité ou de chercher d'autres ressources. Oui, ce jour-là il avait pris conscience du funeste destin qui l'attendait. Il aurait pu injurier leur mère, leur famille, les traiter de chiens, ils se seraient contentés de hocher la tête et de le considérer comme fou. Mais les menacer de misère, là résidait son tombeau. Il avait commis l'irréparable.

Et pourtant, il n'avait fait que reprendre à son compte les imprécations proférées bien avant lui par le prophète Isaïe : « Qu'ai-je à faire de la multitude de vos sacrifices ! Je suis rassasié des holocaustes de béliers et de la graisse des veaux. Mon âme hait vos nouvelles lunes et vos fêtes ; je suis las de les supporter. Même quand vous multipliez les prières, je n'écoute pas ; vos mains sont pleines de sang ! »

Comme pour mieux défier les prêtres, Jésus avait lancé : « Détruisez ce Temple, et en trois jours je le relèverai ! » La foule avait ricané : « Il a fallu quarante-six ans pour bâtir ce Temple, et toi, en trois jours tu le relèveras ! »

Comment pouvait-il savoir ce qu'il avait toujours su ? Ce Temple, comme le précédent, serait détruit. Dans trois jours, trois ans, trois mille ans. Il le savait. Parce que le Temple de Yahvé ce sont les hommes et non des murs de pierre. Parce qu'il savait aussi que trois jours après sa propre mise à mort, le temple de son corps renaîtrait…

Jésus s'assied à la table et se relit :

> Selon la coutume, trente jours de deuil furent décrétés pendant lesquels il fut interdit de se raser, d'étudier la Torah, de travailler, de se laver, d'échanger des salutations ou de porter des vêtements frais.

Il trempe la pointe du roseau dans le godet. Sa main reprend sa course sur le papyrus.

> Trente jours auxquels succédèrent trente mois. Puis soixante. Puis cent vingt.
> Tout ce temps, je ne fus qu'un charpentier. Je remplissais mon rôle d'aîné avec abnégation et celui de fils avec dévotion. Mon père était mort. Je me devais aux miens. La voix qui criait dans ma tête s'était tue. Ou alors, c'était moi qui ne l'entendais plus.
> Au cours de ces années, je fus tour à tour témoin

du mariage de mes sœurs Lysia et Lydia et de trois de mes frères : Joses, Simon et Jude.

Ce fut lors des noces de Lydia que je vis Eliora pour la première fois. Eliora qui signifie « Yahvé est lumière ».

Elle avait dix-huit ans. La courbe de son nez, l'arc de ses sourcils, l'ovale de son visage, tout en elle exhalait douceur et beauté. Ma mère l'avait aperçue aussi et je lus dans ses prunelles comme une soudaine espérance. J'avais trente ans. Je n'avais toujours pas pris femme alors que, à l'instar de mes coreligionnaires, je considérais le mariage comme une bénédiction accordée à l'humanité par la grâce du Créateur. Mon célibat étonnait et creusait un peu plus le fossé qui me séparait de mes proches et du monde. Tout Juif pieux ne devait-il pas être marié ? Moïse ne l'avait-il pas été ? Et Hillel, qui fut mon maître ?

Certains imaginèrent que mon refus de prendre femme était inspiré par mon séjour chez les ascètes de la mer Morte. En effet, si les esséniens ne condamnaient pas le mariage, car ils le jugeaient nécessaire à la propagation de la race, ils le considéraient avec mépris. D'autres, à la langue plus venimeuse, colportèrent que des inclinations me portaient vers des amours grecques, d'autres que je me satisfaisais de forniquer en cachette avec des pécheresses.

Les uns et les autres avaient tort. En vérité, j'ai connu des nuits où mon sang bouillonnait, les nuits de pleine lune, le plus souvent au printemps quand la terre fleurissait, que les champs renaissaient à la vie, que le ciel embaumait. J'ai connu des vertiges, lorsqu'il m'arrivait de croiser dans les ruelles de Nazareth ou de Capharnaüm ces jeunes filles aux pieds nus qui venaient vers moi dans leurs atours, anneaux aux chevilles, cheveux dénoués, ondulantes comme les voiles des bateaux sur les eaux de Génésareth. Au passage, je volais leurs parfums, je respirais leur haleine, furtivement, comme un voleur, pour, de retour chez moi, entretenir aussi longtemps que possible le trouble de ma chair.

Non. Mon célibat me fut imposé. Si le feu traversait mon sang, l'eau s'y déversait aussi. Pas une eau tranquille, mais un torrent qui, de ces flots éclatés, faisait jaillir des mots d'écume, toujours les mêmes : *Yeshûa, mon fils, tu es incapable d'aimer ou d'être aimé par un seul être ; tu es ici pour aimer les hommes. Tu fus conçu pour te répandre dans l'univers, embrasser les astres et te brûler en leur sein. L'homme est seul, si seul. Ouvre les bras. Accueille la terre, brasse le limon ancien, extirpe la nuit de ses veines et restitue aux enfants d'Adam l'espérance perdue. S'il n'existe pas de vie après la mort, la vie n'existe pas. Redonne-leur l'espérance perdue.*

Alors, entre l'assemblage d'une table et d'un treillis de fenêtre, je me rendais à la synagogue de la ville où il m'arrivait, le jour du shabbat, de lire la *parasha* de la semaine, l'une des cinquante-quatre sections qui forment la Torah, ou de commenter les Écritures. Parfois, j'y provoquais des froncements de sourcils et des chuchotements contrariés, mes raisonnements n'étant pas toujours en conformité avec ceux des docteurs de la Loi. Ainsi, la veille de mes trente-quatre ans, je lus un long passage du livre d'Isaïe jusqu'au verset 61 : « L'Esprit du Seigneur est sur moi, parce qu'il m'a consacré par l'onction, pour porter la bonne nouvelle aux pauvres. Il m'a envoyé annoncer aux captifs la délivrance et aux aveugles le retour à la vue, renvoyer en liberté les opprimés, proclamer une année de grâce du Seigneur… »

À ce stade, je m'arrêtai net, restituai le rouleau à l'officiant et regagnai ma place sous l'œil circonspect des fidèles, surpris de me voir interrompre aussi abruptement ma lecture. J'aurais pu poursuivre en effet, mais la voix qui pendant longtemps s'était tue s'y était opposée. La suite du verset disait : « Pour publier une année de grâce de l'Éternel, et un jour de vengeance de notre Dieu. » Or je me refusais désormais d'évoquer, sous quelque prétexte que ce fût, l'image d'un dieu vengeur.

Devant les mines troublées, je me relevai et déclarai d'une voix ferme : « Aujourd'hui, sachez que s'accomplit à vos oreilles ce passage de l'Écriture. » Et dans un silence abasourdi, je quittai la synagogue.

Pourquoi ai-je prononcé ces mots ? D'où me venaient-ils ?

Ce jour-là, après avoir quitté la synagogue, je ne suis pas rentré chez moi. J'ai marché droit devant, traversé Capharnaüm et gagné la rive du lac. Je me suis assis sur la grève. Pas un souffle. Au loin oscillaient des lanternes pendues au mât des barques de pêcheurs.

Je restai à les observer, imprégné de ce silence d'eau et de feuillages.

À un moment, je crus entendre monter du couchant des gémissements profonds et sourds. Pas une voix, mais des milliers, qui criaient leur désespoir. Oh ! Yahvé ! Oh ! Adonaï, qu'attends-Tu pour nous secourir ? La fille de Sion a perdu toute sa gloire. Éternel, regarde ma détresse ! À quoi te comparer, fille de Jérusalem ? Qui trouver de semblable à toi, et quelle consolation te donner, Vierge, fille de Sion ? Car ta plaie est grande comme la mer. Tes prophètes ont eu pour toi des visions vaines et fausses. Ils t'ont donné des oracles mensongers et trompeurs.

Je me pris la tête entre les mains et fus tout étonné de trouver mes joues mouillées de larmes. Je passai la nuit l'œil rivé sur le ciel.

Aux premières lueurs de l'aube, un troupeau de chèvres bêlantes dégringola sur la berge, une barque accosta ; quatre hommes en descendirent. Ils parlaient fort. Ils halèrent leur filet et allumèrent un feu. Une odeur de rascasses grillées submergea l'air.

Je me levai, prêt à partir, lorsqu'une exclamation attira mon attention. Était-ce le fruit de mon imagination, ou quelqu'un avait prononcé le nom de Yohanane ? Je tendis l'oreille. L'un des pêcheurs, le plus jeune, disait :

— Tu dois me croire ! Nous l'avons vu, le fils de Zébédée et moi, alors que nous étions à Béthanie. Il pratique un rite d'eau dans le fleuve, à une journée de marche de Qoumrân, et les gens sont de plus en plus nombreux à le suivre. Il en vient de toute la Judée. Même de Jérusalem.

— Bien sûr, répliqua celui qui lui faisait face, un homme au visage dur et massif. Selon toi, ce Yohanane vêtu de peaux de bêtes, qui se nourrit de sauterelles et de miel sauvage, ne serait autre que le prophète Élie revenu parmi nous ? André, mon frère, je t'ai toujours mis en garde. Tu as le crâne fragile et tu dois te méfier du soleil.

Le dénommé André prit un autre homme à témoin :

– Toi, Jean, dis-lui !

– Ton frère a raison. Yohanane est un envoyé de Dieu. Il n'est qu'à entendre ses propos pour en être convaincu. Et si cela peut te rassurer, Simon, sache qu'il n'a jamais déclaré qu'il était Élie.

Simon haussa les épaules.

– Parce que quelqu'un lui a posé la question ?

– Parfaitement. Lorsque nous étions là-bas, des prêtres et des scribes lui ont demandé s'il était Élie. Il a répondu par la négative. « Alors, es-tu le Messie ? » Il a nié. Les autres ont insisté : « Qui es-tu ? afin que nous donnions une réponse à ceux qui nous ont envoyés. Que dis-tu de toi-même ? » Il a eu cette réponse qui nous a tous surpris. Il a dit : « Je suis la voix d'un crieur dans le désert qui proclame : Aplanissez la route d'Adonaï. »

Un quatrième homme, qui jusque-là s'était tu, commenta :

– Curieuse réplique. Qu'a-t-il voulu dire ?

– Je n'en sais rien. Il y a plus étrange encore. Lorsque les prêtres lui ont lancé avec un air de reproche : « Pourquoi donc baptises-tu, si tu n'es ni le Messie ni Élie ? », Yohanane s'est élancé vers eux, poing levé, et a hurlé à leur face : « Race de vipères, qui vous a appris à fuir la colère à venir ? Cessez donc de déclarer : Nous avons Abraham pour père ! Car je vous déclare que de ces pierres-ci, Dieu peut susciter des enfants à Abraham. »

Celui qui se prénommait Simon se récria :

– De ces pierres, Dieu peut susciter des enfants à Abraham ? Avez-vous conscience de l'énormité de cette notion ? Elle signifierait que demain l'Éternel pourrait accueillir des Gentils dans son sein et que nous, peuple juif, ne serions plus les seuls élus de Yahvé ? Les peaux de bêtes que porte votre ermite lui ont dévoré la cervelle !

D'un geste nerveux, il saisit une rascasse et se mit à la mâcher avec ses arêtes.

— Ce n'est pas tout, reprit André. Il a ajouté : « Au milieu de vous, il y a quelqu'un que vous ne connaissez pas, qui vient après moi. Et je ne suis pas digne de délier la courroie de ses sandales ! »

Simon grommela quelque chose d'inintelligible.

— Il a accompli aussi des miracles, renchérit le fils de Zébédée. Il a rendu la vue à des aveugles, il a chassé des esprits mauvais. Demain, nous retournons à Béthanie. Accompagne-nous. Ainsi tu pourras vérifier par toi-même combien le baptiseur émerveille la foule.

— Fils de Zébédée, ni demain ni après-demain. Je n'ai que faire des prophètes. Voilà bien longtemps que les vrais se sont détournés d'Israël. Quant aux autres… Écoutez-les annoncer que le jour est proche où le Sauveur promis par Élohim mettra fin à toutes les injustices et à tous les blasphèmes. Les blasphèmes ! Regardez autour de vous ! Que voyez-vous ? Des théâtres où l'on joue des comédies grecques obscènes et des tragédies qui célèbrent les exploits de dieux païens ! Des monuments érigés à la gloire de la Grèce et de Rome ! Des prêtres qui ne sont que des parasites, des profiteurs. Que font ces soi-disant envoyés de Dieu ? Rien. Ils prêchent la fin des temps, quand ils ne se prennent pas pour le Messie lui-même.

Il secoua la tête avec détermination.

111

– Gardez votre Yohanane, si vous voulez. Mais gardez-le de moi.

Je m'écartai, bouleversé.

Ainsi, Yohanane avait quitté son antre de la mer Morte. Pourquoi ? Que s'était-il passé pour qu'il abandonne les esséniens, lui qui paraissait si convaincu par leur enseignement ?

Il baptisait… La purification par l'eau. Comme les ascètes de Qoumrân, comme ces gens que les habitants des abords du fleuve avaient surnommé les « baigneurs du matin ». Comme bien d'autres encore. Nos Saintes Écritures ont toujours prescrit les ablutions pour purifier les personnes ou les objets impurs. Quelle sorte de purification proposait Yohanane ? Tout à coup me revint cette phrase : « Je suis la voix d'un crieur dans le désert qui clame : Aplanissez la route d'Adonaï. »

Je rentrai à Capharnaüm, l'esprit en bataille.

Je trouvai la maison vide. Depuis que mes frères avaient pris femme, ils ne vivaient plus sous notre toit. Jacques, seul, était demeuré aux côtés de notre mère. Mais ni elle ni lui n'étaient là.

Je ressortis, inquiet. Je criai leur nom. Une voix de femme me répondit. C'était notre voisine, Mérav.

– Te voilà enfin, Jésus.

– Où est ma mère ? Jacques ?

– Où crois-tu qu'ils sont ?

Elle afficha un air de reproche.

– Ils sont partis à ta recherche. La pauvre Marie était rongée par l'inquiétude. Elle t'a guetté toute la nuit. Elle…

Je n'écoutais plus. Je parcourus la ville. Ce fut Marie qui me trouva. Elle m'apostropha alors que j'arrivais devant la synagogue. Assise sur les marches, la tête enserrée dans un fichu violet, elle faisait penser à une épouse abandonnée.

Je m'agenouillai devant elle et voulus lui prendre les mains, mais elle se déroba.

– *Ebni, Ebni*, mon fils, combien de temps encore feras-tu de ma vie un tourment ?

Elle mordit le bord de son fichu pour ne pas fondre en larmes.

Où trouver les mots ? Autour de nous s'élevaient les chuchotements réprobateurs des passants. Ma mère se ressaisit.

– Je te porte en moi depuis si longtemps. Quand ? Quand t'arracheras-tu à mes entrailles ? Hier, j'avais le ventre rond. Tu y dormais au chaud et une voix me soufflait : « Sois heureuse, Marie. Tu es bénie entre toutes les femmes et celui que tu portes en toi est béni. » Mais tu n'es jamais né, mon fils. Jamais vraiment.

Je la dévisageai sans comprendre. Elle poursuivit :

– L'heure n'est-elle pas venue de faire ton choix ? Tu n'es pas un, mon fils. Tu es cent, tu es mille. C'est lourd pour le ventre d'une mère. Pourquoi ne pars-tu pas ? Qu'est-ce qui te retient ? Ne vois-tu pas que ta vie est toute de songes. Quand en feras-tu une réalité ?

Je murmurai :

– Tu voudrais donc que je parte ?

– Oui. Pour mettre fin aux douleurs de l'enfantement. Je souffrirai moins de ton absence que de ta présence incertaine. Durant toutes ces années, chaque fois que tu as franchi le seuil de la maison, un mal me dévorait qui s'appelle l'inquiétude. Reviendra-t-il ? Pourquoi son lit est-il vide ? Alors, on est là à guetter un bruit de pas familier. Personne. Quand tu nous as quittés pour Qoumrân, j'étais soulagée. Je te savais loin. On espère le retour du voyageur, mais on appréhende le départ de celui qu'on aime. Tu es toujours sur le départ, mon fils. Va, vole ! Ce que tu dois faire, fais-le.

Elle retint un sanglot, avant d'ajouter :

– Ou alors, reste. Mais sans regret et pour toujours.

Je posai ma tête sur ses cuisses. Elle m'enveloppa. Je m'entendis murmurer :

– Oh ! Dieu ! Oh ! Dieu d'Israël. Pourquoi ? Pourquoi moi ?

*

Césarée. Résidence de Pilate. 4 du mois de yyar.

Nicodème et Joseph d'Arimathie gardent leurs yeux rivés sur Pilate, tout en se demandant s'ils ne sont pas plongés dans un cauchemar. Voilà un moment déjà que le préfet va et vient, voûté, les mains croisées derrière le dos, pestant et jurant. Il s'arrête enfin et se laisse tomber comme une masse sur sa chaise curule.

– J'attends vos explications.

Nicodème inspire un grand coup avant de répondre :

– Seigneur préfet, avec toute la considération que j'éprouve à l'égard du représentant de Rome, permets-moi de te dire que non seulement tes accusations sont totalement infondées, mais qu'elles portent gravement atteinte à l'intégrité de notre fonction.

La fermeté du ton avec lequel il s'est exprimé le surprend lui-même.

– Prends garde, Nicodème ! Trêve de finasseries ! Vous avez reconnu les faits. Alors, pourquoi nier ? Ce vendredi en question, vous êtes bien venus me réclamer la dépouille du Nazaréen ? C'est bien vous qui l'avez décroché de la croix ? Vous encore qui l'avez déposé dans une tombe prévue à cet effet ? Vous aussi qui avez placé vos propres gardes, ceux de la milice du Temple, pour le surveiller ?

– Oui, répond Nicodème. C'est exact. Pour nous, c'était le moyen le plus sûr de maîtriser la situation, la certitude que personne ne tenterait de dérober sa dépouille.

– Et pourtant, trois jours plus tard, le corps s'est volatilisé. Et le Nazaréen refait surface, aussi vivant que vous et moi. Alors ?

Le prêtre réplique sans hésiter :

– Ce sont ses disciples bien évidemment qui l'ont dérobé pour faire croire à…

– Serais-tu sourd ? martèle Pilate. Il ne s'agit pas de ses disciples, mais des agents du tétrarque ! Croyez-vous que je sois assez niais pour n'avoir pas pensé spontanément à la manipulation ? Mais là, ce ne sont pas ses adeptes, mais des hommes d'Hérode qui ont rapporté les faits. Ils l'ont vu. De leurs yeux vu, sur la rive de Génésareth. Ils l'ont entendu parler !

Le Romain reprend son souffle.

– Je ne suis pas dupe. J'ai percé à jour votre complot. En vous servant du Nazaréen, vous espérez déstabiliser la présence romaine dans ce pays. Sachez que votre machination est vouée à l'échec ! Je vous briserai ! Et je briserai votre instrument !

Il darde ses yeux dans ceux du prêtre et crie :

– Où est-il ? Parlez !

Le visage blanc comme neige, les deux prêtres restent silencieux. Ce n'est pas tant l'accusation qui les affole, que cette histoire d'apparition rapportée par les agents du tétrarque. Trois jours après avoir arraché Jésus à sa sépulture, ils ont entendu dire, pour leur plus grande satisfaction, qu'on l'avait aperçu ici et là. Ils en ont déduit que les fidèles du Nazaréen étaient en train de contribuer, à leur insu, au succès de leur propre plan. Mais là, que se passe-t-il ? En aucun cas les espions d'Hérode ne peuvent être taxés de zélateurs de Jésus. Alors, par quel sortilège celui-ci se serait trouvé en deux endroits à la fois ? Certes, l'homme passe pour un magicien, encore plus doué que le mage Dosithée ou que Simon qui prêche en Samarie, capable de transformer l'eau en vin et de marcher sur les eaux, mais tout de même...

– Alors ? s'impatiente Pilate. J'attends votre réponse.

Joseph d'Arimathie décide d'intervenir :

– Seigneur préfet, libre à toi de nous croire ou non, nous nous ne sommes pour rien dans cette affaire. Il doit certainement s'agir d'un complot.

– En admettant que vous n'y soyez pour rien, comment expliquez-vous que vos gardes n'aient rien vu ? C'est bien ce que vous prétendez, alors même que quelqu'un enlevait le corps de cet homme en *leur* présence. Non ! Cela ne tient pas ! Le complot, c'est vous !

– Jamais. Jamais ! Réfléchis un instant, je t'en conjure.

Pour quel motif aurions-nous sauvé la vie de Jésus, alors que nous réclamions sa mort ? As-tu oublié qu'il était notre ennemi ? L'ennemi juré du Sanhédrin. Il attentait à notre institution, portait partout le scandale, menaçait notre autorité. Comment imaginer que nous aurions pu vouloir le garder vivant ? Ne vois-tu pas que c'est incohérent ?

– Pas autant qu'il y paraît. En faisant de lui un ressuscité, vous le hissez sur un socle divin. Qui peut résister à l'appel d'un dieu ? Sur un geste de lui, tout le pays se soulèvera. Et contre qui ? Contre quel pouvoir ? Pas le vôtre. Oh non ! Contre le vrai pouvoir : celui de Rome !

Les deux prêtres échangent un coup d'œil à la dérobée. Le raisonnement du préfet est sans faille. S'ils ne parviennent pas à le contrer, leur vie ne vaudra guère plus qu'un crottin de chameau.

Joseph se racle la gorge.

– Seigneur préfet. As-tu gardé en mémoire les propos tenus à notre encontre par le Nazaréen ?

– Oui.

– Dirais-tu que l'homme ne cherchait pas notre perte ? Dois-je te rappeler ses injures à l'égard des prêtres ?

– Où veux-tu en venir ?

Éludant la question, le prêtre énumère :

– Hypocrites, iniques, conducteurs aveugles, serpents, race de vipères, assassins de prophètes, sépulcres blanchis pleins d'ossements et d'impuretés, hommes pétris de rapines et de méchanceté…

Pilate lève une main impérieuse.

– Il suffit !

– Et tu pourrais imaginer, préfet, que cet individu qui

nous haïssait tant aurait accepté de collaborer et de participer à un complot quel qu'il fût ? Peux-tu vraiment penser que nous, membres du Sanhédrin, nous nous serions associés avec un personnage qui n'aspirait qu'à nous détruire ? Ne comprends-tu pas que lui et nous poursuivions des objectifs diamétralement opposés ? Le loup peut-il devenir le frère de l'agneau ?

Le changement de physionomie de Pilate est tel qu'on sent que les arguments du prêtre l'ont ébranlé. Il plaque ses mains sur les accoudoirs de sa chaise curule et fait mine de se lever.

– Admettons ! Mais votre argumentation n'explique toujours pas la réapparition du Nazaréen.

Il scande :

– Ils l'ont vu, de leurs yeux vu !

De concert, les prêtres lèvent les bras au ciel en signe d'impuissance.

– Nous n'avons pas de réponse, préfet. C'est un mystère.

Et Nicodème d'ajouter :

– Ou alors, quelqu'un d'autre a conçu cette machination.

– Explique-toi.

– Ses disciples.

Le silence retombe. Un masque se glisse sur les traits fermés de Pilate.

8

Même jour, quelque part en Judée.

La plume a repris sa course sur le papyrus.

Aux premières lueurs du jour, je pris la route de la Judée en longeant le fleuve. Non loin de Jéricho, dans l'enclave sud du Jourdain, j'aperçus Yohanane.

Il se tenait debout au milieu des eaux, entre les roseaux, immergé jusqu'à la taille. Vêtu d'une peau de chameau, les cheveux et la barbe hirsutes, l'œil flamboyant, on eût dit une apparition.

Sur la rive, une foule dense l'observait. Je restai en retrait.

Il vociférait :

– Déjà même la cognée est mise à la racine des arbres : tout arbre qui ne produit pas de bons fruits sera coupé et jeté au feu !

Une femme l'aborda, suppliante :

– Alors, que devons-nous faire ?

– Que celui qui a deux tuniques partage avec celui

qui n'en a point, et que celui qui a de quoi manger agisse de même.

Deux collecteurs d'impôts s'approchèrent et lui posèrent la même question.

– N'exigez rien au-delà de ce qui vous a été ordonné.

Puis ce fut au tour de quelques soldats de l'interroger.

– Ne commettez ni extorsion ni fraude envers personne, et contentez-vous de votre solde.

Il ne parlait pas. Il rugissait. Il ne baptisait pas. Il vomissait le fleuve et le désert et le ciel.

Je ne le quittai pas des yeux.

Au moment où la voûte céleste se drapait de violet et de pourpre, je décidai de marcher vers lui.

Les gens s'écartèrent sur mon passage.

Un vol de milans zébra l'azur.

J'entrai dans l'eau.

Yohanane me fixa. Il m'examinait sans me reconnaître, ou bien il me prenait pour un autre.

J'avançai encore.

Un autre vol de milans. Cette fois, au lieu de traverser l'espace, il se figea au-dessus de nos têtes.

– Je t'attendais, furent les premiers mots du baptiseur.

J'acquiesçai.

– L'heure est venue, Jésus.

– Je sais.

La foule nous observait, muette, déconcertée. À nos pieds, les clapotis argentés du fleuve s'étaient transformés en pierres.

– Te souviens-tu des mots que j'ai prononcés le

jour de mon départ pour Qoumrân ? demanda Yohanane.

– « J'aplanirai pour toi le chemin. »

– J'ai tenu ma promesse. À présent, je peux partir.

– Pas encore. Baptise-moi, Yohanane.

Je vis sa figure se décomposer.

– Te baptiser ?

Tout ce temps, il avait tenu un grand coquillage dans la main. Il voulut le glisser de force dans la mienne.

– Toi. Toi...

– Non. Laisse faire maintenant. C'est le rôle du crieur. Baptise-moi.

Il leva les yeux vers la foule, la lèvre tremblante, et tonna :

– Voyez ! C'est de lui que j'ai dit : « Derrière moi vient un homme qui est passé devant moi parce qu'avant moi il était. Il a son van à la main ; il fauchera les champs, il amassera son blé dans le grenier et brûlera la paille dans un feu qui ne s'éteint point. »

Les milans planaient toujours, obstinés, au-dessus de nos têtes. Il remplit son coquillage d'une eau qu'il versa sur ma chevelure.

Et la nuit recouvrit le fleuve et les roseaux.

La lune prit la place du soleil.

La foule se retira. Je restai seul avec Yohanane.

Nous avons marché sous la lueur froide, longtemps, sans échanger un mot. Où étions-nous ? Où allions-nous ? Ni lui ni moi ne le savions.

Finalement, il se laissa choir sur un rocher. Je m'assis près de lui et entourai ses épaules de mon bras. Et nous avons commencé à parler de nos vies passées, de celles à venir, du Dieu d'Israël et des gens des nations. À un moment donné, je l'interrogeai :

— Pourquoi as-tu quitté Qoumrân ?

— Trop d'astreintes. Trop d'utopies. Trop de tout. Je n'étais plus d'accord. Ces gens sont des morts vivants. Et puis, j'avais une mission…

Sans me regarder, il précisa :

— Un chemin à aplanir. Et toi, qu'as-tu fait de ces années ?

— Je sondais le temps et forgeais mon âme. Tu as toujours su, n'est-ce pas, Yohanane ? Bien avant moi. Alors que je bataillais avec mon esprit, tu savais.

— Oui. Déjà avant de naître, je savais. Ma mère était enceinte de plus de six mois lorsque Marie est venue lui rendre visite. Il m'a été dit que, ce jour-là, j'ai frémi d'allégresse dans son sein.

Après un bref silence, je repris :

— Je t'ai observé tandis que tu accomplissais le rite d'eau. En quoi est-il différent des *mikveh* prescrits par la Torah ? N'est-il pas écrit : « Celui qui est pur fera l'aspersion sur celui qui est impur. Il lavera ses vêtements, et se lavera dans l'eau » ?

— Justement. C'en est fini de ces gestes ataviques, si souvent répétés qu'ils sont devenus stériles. Une ablution, une seule. Telle est la différence. L'immersion que je propose est un pacte. Un pacte scellé une fois pour toutes entre l'Éternel et sa créature. C'est un engagement sacré, une brèche définitive taillée dans nos murailles impures et l'acceptation d'un Yahvé de miséricorde. Tu me comprends ?

— Je comprends, Yohanane.

J'ajoutai :

– Je t'ai entendu aussi quand tu clamais : « Déjà même la cognée est mise à la racine des arbres. » Pour qui ?

– Pour toi, Jésus. Tu le sais bien.

– Je ne peux pas, Yohanane.

– Si ! Tu en as le pouvoir. Tu es la force.

– Je suis un cœur. Pas une hache.

Je devinai sous la lune que ses mains se crispaient.

– Un cœur n'a pas d'armes. Un cœur se fend. Le rédempteur d'Israël se doit d'être dur comme l'olivier. Extermine-les ! Brise-les avant qu'il ne soit trop tard.

– Je ne suis pas venu pour détruire, ni pour abolir la Loi, Yohanane, mais pour l'accomplir, achever l'œuvre commencée il y a deux mille ans. En vérité, tant que le ciel et la terre ne passeront point, il ne disparaîtra pas de la Torah un seul iota ou un seul trait de lettre, jusqu'à ce que tout soit arrivé.

– Et comment feras-tu, sans violence ?

– Je te l'ai dit : je suis un cœur.

– Ils te réduiront en miettes ! Ils t'opposeront l'injustice, l'incompréhension, le mépris, les crachats.

– Je leur répondrai par l'amour, la tolérance, le pardon, l'offrande et la mort tout au bout. Mais rassure-toi. Si je suis un cœur, je saurai être aussi une épée.

Il observa :

– Tu as parlé de la mort. La mienne importe peu. Mais la tienne ? À quoi servirait-elle ? De qui te permettra-t-elle de triompher ?

– De l'égoïsme, de l'aveuglement, des préceptes anciens, de l'intolérance, de la médiocrité. Ainsi, je ferai connaître au monde le vrai visage du Père.

– Jusqu'au sacrifice ?

– Le sacrifice seul justifie une existence. Sans lui, nous ne sommes rien que des hommes. L'heure vient, Yohanane, et elle est déjà venue, où les morts entendront la voix du fils de Dieu ; et ceux qui l'auront entendue vivront. Car, comme le Père a la vie en lui-même, ainsi il a donné au fils d'avoir la vie en lui-même.

– IL t'a donc parlé.

– Oui, mon ami. Oui, mon frère. Et ce que j'ai entendu, je dois le transmettre. Me voilà ici désormais pour faire non ma volonté, mais la sienne. Et la sienne, c'est que je ne perde rien de tout ce qu'il m'a donné, mais que je le ressuscite au dernier jour.

– Tu seras donc l'agneau.

J'acquiesçai.

– Dans ce cas, je continuerai d'être ton cri.

Yohanane se leva, écarta les bras sous la lumière mauve, ouvrit la bouche, une bouche immense, et aspira des monceaux d'étoiles.

Nous nous couchâmes à même la terre et à l'aube nous prîmes la route du dévaleur. Alors que nous remontions la rive, deux hommes s'approchèrent. C'était des disciples de Yohanane. L'un d'eux s'enquit en me montrant du doigt :

– Qui est-il ?

Yohanane répondit sans hésiter :

– C'est lui, l'agneau de l'Éternel.

À moi, il dit :

– Voici André, fils de Jonas, frère de Simon. Et voici Jacques d'Alphée.

Pivotant sur les talons, il me serra contre lui.

– C'est ici que nos routes se séparent. Mais nous nous retrouverons. Lorsque les âmes tendent vers l'inaccessible, l'inaccessible est contraint de venir à eux.

Je ne devais plus jamais le revoir. Le monde se souviendra que parmi ceux qui sont nés de femmes, il n'est point paru de plus grand que Yohanane.

Tandis que je reprenais la route, je sentis que l'on me suivait. Je me retournai et reconnus les deux disciples qui avaient interrogé Yohanane à mon propos. Je leur demandai ce qu'ils me voulaient. Celui qui s'appelait André me répondit :

– Rabbi, où demeures-tu ?

Je répliquai :

– Venez, et voyez.

Ils m'emboîtèrent le pas, ils virent où je demeurais ; et ils restèrent auprès de moi ce jour-là.

C'était environ la dixième heure.

*

Palais de Pilate à Césarée. 6 du mois de yyar.

Étendu sur l'un des lits qui meublent le triclinium, Pilate désigne avec ravissement le plateau qu'un esclave vient de poser entre lui et Claudia.

– Mon mets préféré ! Des perdrix farcies.

Face à lui, à moitié allongée, son épouse fait la moue.

– Je n'ai pas faim.

– Alors, un peu de vin ? Il ne vaut pas l'achéen, mais il

est tout de même excellent. J'ai demandé qu'on le parfume aux clous de girofle.

– Je veux bien.

À peine le breuvage a-t-il touché ses lèvres qu'elle grimace.

– Trop lourd.

Elle se tourne vers un serviteur et ordonne :

– Qu'on le coupe d'eau.

– J'allais te le suggérer, approuve le préfet.

Et il mord dans une perdrix à pleines dents.

– On mange trop, observe Claudia.

Elle effleure les plis de sa *stola*.

– Je commence à ressembler à nos matrones. À Rome, mes amies ne me reconnaîtront plus.

– Allons, allons, tu es très bien… À propos de Rome, j'ai reçu un courrier.

– Ah ?

– Une lettre de Macron. Tu vois de qui il s'agit ?

– Le préfet des vigiles ?

– C'est cela. Il me fait part de son inquiétude. Il semble que les ambitions de Sejanus l'inquiètent de plus en plus. Notre ami songerait à la voie impériale.

– La place n'est pas vacante, que je sache. Tibère règne toujours. Qu'espère-t-il ? Un coup d'État ?

– Ce n'est pas improbable. Depuis la mort de Drusus, le fils de Tibère, Sejanus est devenu plus puissant que le Sénat et a tout pouvoir sur la garde prétorienne. Peut-être se sent-il inattaquable ?

Claudia piocha une grappe de raisins.

– Est-ce vrai ce que l'on raconte ? Sejanus aurait été

l'amant de Livilla, l'épouse de Drusus, et ce serait elle qui aurait empoisonné son mari ?

Pilate hausse les épaules.

– Je n'en sais rien. Mais je n'en serais pas étonné. La seule chose qui m'inquiète dans cette affaire, c'est l'avenir de Sejanus. Si ce que raconte Macron est exact, soit notre ami réussit sa manœuvre et renverse Tibère, soit il échoue et finit la tête tranchée. Et s'il échoue, il m'entraîne dans sa chute.

Un frisson parcourt le dos de la femme.

– Et tu penses que Sejanus serait assez inconscient pour prendre ce risque ?

Une expression cynique anime les traits de Pilate.

– Ma chère, sache que notre drame est que l'on peut toujours plus que ce que l'on croit pouvoir.

– Seigneur préfet !

Pilate lève les yeux en direction du centurion qui vient de l'apostropher.

– Je t'écoute, Marcellus.

– J'ai rassemblé les hommes. Ils sont prêts à partir.

– Parfait. Tu connais les ordres. Qu'ils prennent la route sur-le-champ. Mais souviens-toi : je ne veux pas d'effusion de sang ! À aucun prix. Tu m'as bien compris ?

– Oui, seigneur préfet.

Pilate le congédie d'un geste.

– Va !

Comme le centurion reste immobile, Pilate réitère son ordre :

– Va donc !

– Si tu me le permets, j'aimerais te soumettre une observation. Nous sommes vendredi. Dans quelques heures commence leur shabbat. Il me semble qu'il serait plus avisé d'attendre jusqu'à demain soir, sinon j'ai bien peur que nous ne soulevions – une fois encore – la réprobation de la population, avec tous les ennuis qui en découleront.

Pilate soupire.

– Très bien, Marcellus. Ménageons, ménageons... Demain soir, donc.

Le poing gauche du centurion frappe son pectoral et il se retire.

– Que se passe-t-il ? s'inquiète Claudia. Encore un soulèvement ?

– Non. Une opération préventive.

– Décidément, ça n'en finira donc jamais !

– Cette fois il ne s'agit pas du peuple, mais des adeptes de ton protégé.

Claudia lui jette un regard surpris.

– Oui, confirme Pilate. Figure-toi que le Nazaréen est toujours vivant. Je précise : toujours. Ce qui signifie qu'il n'était pas mort lorsqu'on l'a décroché de la croix.

Claudia se redresse d'un seul coup.

– Comment est-ce possible ?

– J'ai été l'objet d'une machination.

– Une machination ? Qui en serait l'auteur ?

– J'ai cru un moment que les prêtres étaient responsables. Mais, après réflexion, leur implication me paraît peu probable. Eux et Jésus se haïssaient trop. Il ne reste donc que ses disciples.

– C'est absurde !

Pilate lui décoche un regard interrogateur.

— Oui, insiste Claudia. Absurde. Cela sous-entendrait qu'ils savaient Jésus vivant lorsqu'ils l'ont libéré du tombeau ? Comment auraient-ils pu en être certains ? Selon tous les témoins, Jésus était agonisant et le coup de lance de ton légionnaire n'a fait que l'achever.

Elle répète avec force :

— C'est absurde !

Le préfet pousse un cri d'exaspération.

— Nous verrons bien ! J'ai donné l'ordre qu'on arrête ces gens. Je les interrogerai moi-même. Et la vérité finira par éclater !

— Je ne comprends pas ton acharnement. S'il me souvient bien, tu n'as jamais vraiment cru à la culpabilité du Nazaréen. Tu as pu constater aussi qu'il n'avait rien d'un comploteur. Il était même dépourvu de toute violence. Il enseignait que si quelqu'un vous frappait sur la joue droite, il fallait lui tendre l'autre joue. Qui tient de tels propos ne peut être dangereux !

— Bien au contraire, ma chère ! C'est précisément cette absence d'agressivité qui me fait peur.

Pilate se lève et se met à arpenter la pièce d'un pas vif.

— Écoute bien ce que je vais te dire. Tu te trouvais à Rome lorsque j'ai été confronté à une affaire qui m'a enseigné beaucoup de choses. Peu après ma nomination, j'avais fait introduire à Jérusalem, de nuit, et en secret, des effigies de l'empereur. À peine le jour levé, j'ai été confronté à une manifestation. Les Juifs m'ont accusé de blasphémer et de bafouer leur Loi, cette Loi qui interdit que l'on dresse des images dans la ville. J'ai vu débarquer à Césarée une centaine de gens venus m'adjurer d'éloigner les portraits de la ville.

J'ai refusé, bien évidemment. Alors, qu'ont-ils fait ? Ils se sont regroupés autour du palais et se sont jetés face contre terre. Au début, j'ai souri. Je trouvais cette attitude puérile, convaincu qu'ils repartiraient à la nuit tombée. Mais non. Ils sont restés cinq jours et cinq nuits sans broncher !

Pilate s'arrête et regagne sa place sur le lit.

– Finalement, le sixième jour, exaspéré, j'ai ordonné à la troupe de les encercler et je les ai menacés de les massacrer. Afin de bien montrer ma détermination, j'ai commandé aux légionnaires de tirer leur épée du fourreau. Comment crois-tu que ces plébéiens ont réagi ? Crois-tu qu'ils ont fui ? Qu'ils se sont lancés contre les soldats ? Pas du tout. Ils ont levé la tête et tendu leur cou en braillant qu'il leur était indifférent de mourir. Le jour même, j'ai fait décrocher les portraits de l'empereur.

Il marque une pause, boit une rasade de vin et reprend :

– J'ai donc commencé mon service ici par une défaite. Une défaite provoquée non par une troupe armée, mais par des adversaires aux mains nues. Tu rappelais il y a un instant les propos du Nazaréen. Ces gens ne se sont pas contentés de me tendre la joue, mais le cou. Ils ne m'ont pas seulement demandé de les frapper, mais de les tuer.

Il se tait de nouveau, contemple le dépôt ambré au fond de son verre, puis :

– Crois-moi, Claudia. Un État peut se trouver plus désarmé devant des émeutiers sans armes que face aux soldats les plus redoutables. Si le Nazaréen est vivant, ce ne seront pas les prêtres qui me forceront la main. Je l'éliminerai et, cette fois, sans état d'âme.

9

Sepphoris. Palais d'Hérode. 6 du mois de yyar.

Nonchalamment allongé, enveloppé d'effluves de santal, Hérode mord distraitement dans un cuissot d'agneau rôti. Malgré les épices, il ne lui trouve aucun goût. C'est à peine s'il a éprouvé du plaisir à siroter quelques lampées de vin muscat.

Étendu non loin de son souverain, Khuza ne semble guère avoir plus d'appétit. Les deux hommes sont trop absorbés par les explications que leur livre Tupshar, l'astrologue royal. Ce dernier, assis sur le sol de mosaïque, une carte du ciel posée sur les genoux, vient de s'éclaircir la gorge avant de reprendre son exposé :

– Comme je le disais, seigneur, le mot « zodiaque » est issu du grec *zodiakos* et de *zodiaion*, diminutif de *zoon*, qui signifie « animal ». C'est un cercle de petits animaux.

– Des animaux dans le ciel ? bondit Hérode.

Il prend son intendant à témoin :

– A-t-on jamais entendu pareille ineptie ?

Khuza répond par un haussement d'épaules et pointe son doigt vers la fenêtre.

– Voilà qu'il s'est mis à pleuvoir...

– Laisse-moi poursuivre, seigneur, le prie l'astrologue, tu vas comprendre. L'allusion aux animaux vient de ce que toutes les constellations du zodiaque sont représentées par des créatures vivantes. Le tout forme un ensemble constitué de douze figures. Et cet ensemble tourne autour de la Terre. Est-ce plus clair, maintenant ?

Hérode se soulève sur un coude, boit une nouvelle lampée de muscat et fait mine d'acquiescer.

– En fait, continue Tupshar, l'essentiel à retenir est que chacune des douze parties correspond à certaines étoiles. Et que chacune de ces étoiles gère le destin des hommes. Elles obéissent à la volonté des... (trahi par ses origines syro-phéniciennes, il faillit dire des dieux, mais se retint in extremis et rectifia)... de Dieu. C'est ainsi que...

Hérode le coupe à nouveau :

– Tupshar, ta science est infinie, mais lorsque je t'ai convoqué, c'était pour une raison précise. Je te rappelle les faits...

Le tétrarque pose sur un plateau son cuissot d'agneau à peine entamé et s'assied sur sa couche.

– Du temps du roi Hérode le Grand, mon père, un événement étrange est survenu. Je n'avais qu'une dizaine d'années, mais je m'en souviens clairement parce que cela avait fait grand bruit à la cour. Six ans avant la mort du souverain, nos espions nous ont informés que trois étrangers porteurs d'offrandes clamaient partout qu'ils étaient venus de Babylonie pour rendre hommage à un futur roi qui était né peu de temps auparavant. Ils étaient persuadés

132

que l'enfant se trouvait ici, en Israël. Troublé par ces propos, mon père essaya d'en savoir plus. Il donc fit amener au palais les trois voyageurs et les interrogea. Il s'agissait d'astrologues. D'après eux, un signe extraordinaire de par sa rareté s'était produit dans le ciel. Une étoile était apparue, qui brillait d'un prodigieux éclat. À les en croire, cette apparition était l'indication qu'un roi tout-puissant était né pour régner sur notre pays. Intrigué, mon père pria les visiteurs de lui indiquer l'identité de ce nouveau-né au cas où ils le trouveraient. Des semaines ont passé. Les Babyloniens n'ont jamais réapparu. Mon père en a conclu que ces gens n'étaient que des facétieux et que cette affaire de naissance et d'astre ne valait pas la peine qu'on s'y attardât[11]. Tu m'as bien suivi ?

L'astrologue fait oui de la tête avec obséquiosité.

– Alors, ma question est simple : un astre particulièrement lumineux, un phénomène étrange est-il apparu, oui ou non, six ans avant la mort d'Hérode le Grand ?

Tupshar répond sans la moindre hésitation :

– Absolument.

Khuza tressaille. Hérode, lui, conserve un visage impassible.

– Je t'écoute.

– En réalité, il s'est passé deux événements majeurs à un an d'intervalle. En l'an –7, deux planètes, Jupiter et Saturne, ont connu une triple conjonction.

Avant que le tétrarque ne l'interrompe, il se hâte d'expliquer :

---

11. Voir note p. 295.

– Les deux astres se sont retrouvés alignés alors qu'ils étaient dans la constellation du Poisson.

– En quoi est-ce si extraordinaire ? s'informe Khuza.

L'astrologue sursaute, comme choqué par la question.

– Patience, mon seigneur. J'ai mentionné deux événements majeurs. Le second s'est produit un an plus tôt, l'année qui vous intéresse, celle qui a vu arriver les visiteurs à Jérusalem. Au milieu du mois de nisân, une éclipse de la Lune a fait apparaître Jupiter, la reine des planètes. À l'est. Et cette fois dans la constellation du Bélier. Cette nuit-là, Jupiter brillait de milliers de feux. Visible par les gens de toutes les nations, et donc en Babylonie.

Hérode semble perdre un peu de son impassibilité.

– Et cette manifestation a suffi pour que trois hommes parcourent plus de mille milles, bravant tous les dangers qu'un tel voyage implique ? D'ailleurs, pourquoi Jérusalem ?

– Tout simplement parce que, comme je viens de le souligner, Jupiter était situé à ce moment-là dans la constellation du Bélier. Or le Bélier…

– Est le symbole d'Israël ! s'exclame Khuza.

– Parfaitement. Par conséquent, nous voilà devant deux informations essentielles : Jupiter est la planète royale par excellence. La constellation du Bélier figure Israël. Pour ces voyageurs, il ne faisait donc aucun doute que cette configuration annonçait la naissance d'un grand roi en Judée. Ce roi guerrier décrit dans le Livre de Michée.

Il cite avec une certaine emphase :

– « Celui qui fait la brèche monte devant eux ; ils font

la brèche, ils franchissent la porte et sortent par elle. Leur Roi marche devant eux, et l'Éternel est à leur tête. »

Hérode baisse les yeux vers sa poitrine. Il donne l'impression de compter les gemmes qui garnissent sa robe de pourpre.

– Khuza…

– Oui, seigneur.

– Le Galiléen. Quel âge pouvait-il avoir lors de son arrestation ?

L'intendant hésite.

– Moins de quarante ans ?

– Sois plus précis.

– Je… je ne sais pas, seigneur. Disons entre trente-cinq et quarante.

– Je vois.

Le tétrarque relève les yeux et fixe Tupshar.

– En quelle année déjà s'est produite cette éclipse ?

– Il y a très exactement trente-six ans.

*

Sepphoris, même instant, à quelques stades du palais d'Hérode. Résidence de Khuza.

La pluie s'est arrêtée. Le couchant obscurcit le jardin. On devine sous un auvent deux silhouettes de femmes entourées d'une odeur de pin et de terre mouillée.

Cédant à une impulsion, Jeanne prend la main de Claudia et s'enquiert :

– Que pouvons-nous faire ? Dis-moi.

– Les prévenir. Cours chez la mère des frères Zébédée. Elle doit certainement savoir où les disciples ont l'habitude de se réunir.

– Salomé habite à plusieurs lieues d'ici, à Chorazin ! J'arriverai sûrement trop tard.

La voix de Claudia se fait suppliante :

– Essaie quand même. Les soldats de Marcellus respecteront la trêve du shabbat. Ils n'interviendront pas avant demain soir. Si cela avait été possible, je serais allé moi-même trouver Salomé. Malheureusement, j'ai déjà pris trop de risques en venant ici. Si mon époux l'apprenait, ce serait terrible.

Un bruit de pas fait sursauter les deux femmes.

– Khuza…, s'affole Jeanne. Il est rentré du palais !

Elles se figent. Souffle coupé.

Un temps s'écoule. Une éternité. Les pas s'éloignent.

– Il vaut mieux que je rentre à Césarée, observe l'épouse du préfet. En restant ici, je te mets en danger.

– C'est plus prudent, en effet. Va en paix. Je te promets de tout faire pour parler à Salomé. Sinon, j'irai à Magdala. Marie, elle, saura comment prévenir les disciples. Viens. Je te raccompagne.

Alors qu'elles s'approchent d'une porte grillagée, Jeanne commente :

– Je n'arrive pas à croire à cette histoire. On l'aurait donc descendu vivant de la croix ? Est-ce possible ?

– Nos maris en sont en tout cas convaincus. Pourtant, il existe une autre version…

L'épouse de Khuza dévisage sa compagne avec anxiété.

– Dis-moi.

– Une version à laquelle ils refusent de croire…

136

Moi, Jésus

*

Quelque part en Judée. La nuit, même jour.

L'été était à son apogée et, du haut du ciel, le soleil jetait ses rayons comme des pierres.

Au moment où je m'engageais dans le désert, j'entendis le sable crisser derrière moi. Il était au rendez-vous. Tant mieux. J'avais craint qu'il ne se dérobe.

Bientôt, par-delà les monts de Moab et les hauteurs solitaires se dilueraient les rumeurs du monde des vivants.

Je continuais d'avancer. Mes pieds cuisaient malgré mes sandales. Un vol de vautours tournoyait au-dessus d'un point invisible, la dépouille d'une charogne sans doute. Je pensais aux souffrances des fils de Qéni, le beau-père de Moïse, venus de la ville des Palmiers et qui avaient parcouru ces lieux. Je songeais aussi à David fuyant devant Saül. À l'errance de Moïse.

Il me suivait toujours.

J'avais choisi le lieu. Il choisirait le jour et l'heure. N'était-il pas né libre comme l'ensemble des hommes ?

À la tombée du jour, j'avisai une grotte creusée dans les falaises. Je m'y allongeai.

Il en fit autant. Je ne pouvais pas le voir, mais je devinais ses moindres gestes.

Une lamentation maudite s'éleva des profondeurs, suivie du cri d'un chacal errant. Ce cri se mit à enfler, puis à diminuer, comme les sanglots d'un enfant.

Ensuite ce fut le silence. J'observais le ciel où la lune était apparue. Dans sa clarté cendrée, les ombres projetées par les rochers semblaient plus réelles que les rochers eux-mêmes.

– Tu ne dors pas, Jésus ?

– Je veille.

Un rire moqueur résonna sous la voûte.

– Voilà bien longtemps que tu veilles. Qu'espères-tu ? L'entendre ? Voilà des siècles qu'Il s'est tu. Il ne vous parlera plus jamais. Il se moque du destin de ses créatures, vous ne L'intéressez plus, pas plus le peuple d'Israël que les gens des nations. C'est fini. C'est moi qui ai pris la relève. Il m'a cédé la terre. Il a gardé les cieux.

– Tu mens…

– Je mens ?

Je me sentis soulevé par une force irrésistible. Il m'entraîna sur une cime d'où l'on pouvait contempler tous les royaumes et leur gloire.

– Regarde ! s'écria-t-il. Regarde ! Je te donnerai toutes ces choses si tu te prosternes et m'adores. Car tout cela m'appartient, et je le donne à qui je veux.

Malgré mon effroi, je répliquai :

– Les royaumes terrestres passent, la gloire est un feu de paille. À l'éphémère, je préfère l'éternité.

J'ajoutai :

– Il a écrit : « Tu adoreras le Seigneur, ton Dieu, et tu Le serviras Lui seul. »

– L'éternité… La vie éternelle ! Tu es bien naïf, rabbi. Au bout du chemin n'existe que la mort. Le vide ! Le néant ! As-tu oublié qu'IL vous a damnés ? Poussière, vous retournerez à la poussière !

– C'était hier. Désormais, celui qui croira au Fils aura la vie éternelle.

– Et qui donc est le Fils ? Un bâtard ?

– Je suis le Fils de celui qui m'a envoyé.

Le silence retomba.

Il y eut comme une saute de vent. Il s'était tu, mais je savais qu'il reviendrait.

À l'aube, je repris la route.

Il y eut encore un soir et d'autres matins.

Dans mon sillage, le sable crissait toujours. La faim et la soif me taraudaient les entrailles. Percevant ma faiblesse, il ricana :

– Combien de temps encore penses-tu pouvoir résister ?

– Le temps qu'il faudra. Il me parlera.

– Tu mourras avant ! Et moi je plongerai ma main dans ta poitrine et je t'arracherai le cœur.

C'est à ce moment-là que l'oasis apparut. J'accélérai le pas. Alors que j'allais plonger la tête dans la nappe d'eau, je vis surgir une bête, immense, aussi haute que les palmiers. Les yeux injectés de sang, elle cria :

– Tends l'oreille, qu'entends-tu ?

– Je n'entends rien.

– Rien ? Tu n'entends pas gémir ce monde aux portes du ciel ? Ne vois-tu pas Jérusalem ? Où est le Temple ? Où sont les orgueilleux pilastres qui le soutenaient et qui faisaient dire : *Éternellement ! Éternellement ! Éternellement !* Le Temple est en cendres ! Les prêtres, les scribes et les pharisiens, en cendres ! En cendres, leurs amulettes saintes, leurs dalmatiques et leurs bagues !

Je plaquai mes mains sur mes tempes pour ne plus l'entendre vociférer et je gémis :

– Père… Père…

La chaleur me transperçait le crâne, desséchait ma gorge. Ma peau brûlée s'effeuillait en lambeaux.

– Puisque tu es Fils de Dieu, ordonne que ces pierres deviennent des pains.

J'articulai :

– Il est écrit : « L'homme ne vivra pas de pain seulement, mais de toute parole qui sort de la bouche de Dieu. »

Alors, pour la seconde fois, il me souleva du sol et me transporta au sommet du Temple, dans la cité sainte.

– Fils de Dieu, jette-toi ! Car il est écrit aussi : « Il donnera des ordres à ses anges pour qu'ils te portent de peur que ton pied ne heurte une pierre. »

– Il est aussi écrit : « Tu ne tenteras point le Seigneur, ton Dieu ! »

Soudain, mes yeux ne virent plus qu'une gueule gigantesque. La mâchoire du bas était la terre, celle du haut le ciel, et elle avançait en se traînant.

– Père… Père…, parle-moi !

– Silence ! Serais-tu stupide ? Je te l'ai dit : Il ne s'intéresse plus à vous. Vous L'avez lassé, écœuré, dégoûté. Il vous a vomis. Vous n'êtes plus que la bave qui perle à Ses lèvres.

Encore un jour, encore une nuit. Bientôt, l'un et l'autre ne furent plus que des éclairs blancs et noirs.

– D'ailleurs, qu'attends-tu de Lui ? Qu'Il s'apitoie sur tes gémissements ?

– Qu'Il me parle avec des mots humains. Qu'Il me

dise clairement ce qu'Il attend de moi. Alors, seulement, je retournerai chez les hommes.

Il partit d'un grand éclat de rire.

– Les hommes ? Quels hommes ? Regarde-les ! Le plus honnête lorgne sa servante, se pourlèche et lui fait signe : Viens ! Donne-moi ton ventre ! Dans les palais, le roi tient sur ses genoux la femme de son frère et caresse sa nudité ! Et pourtant il est écrit : « Tu ne découvriras point la nudité de la femme de ton frère. C'est la nudité de ton frère. » C'est moi l'incestueux ! Je suis le frère et la sœur, et l'épouse et le mari. Je suis la pierre qui lapide les putains, je suis le veau d'or. Je tiens l'univers prisonnier dans mes serres. Trop tard, Jésus ! Il est trop tard !

Il y eut encore un soir et il y eut d'autres matins.

Et puis un jour, alors qu'un nouveau crépuscule entrait dans l'horizon, j'entendis LA voix.

D'abord, ce fut un murmure, un chuchotement. Ensuite elle devint de plus en plus claire. Peu à peu je la reconnus, parce que je me rappelais l'avoir entendue dans mes rêves. Je tombai à genoux, le visage tourné vers le ciel.

Les mots coulèrent comme le lait et le miel :

– Avant que je t'eusse formé dans le ventre de ta mère, je te connaissais, et avant que tu fusses sorti de son sein, je t'avais consacré, je t'avais établi prophète des nations. Ceins tes reins, lève-toi et dis-leur tout ce que je t'ordonnerai. Ne tremble pas en leur présence, de peur que je ne te fasse trembler devant eux. Mon peuple est fou, il ne me connaît pas. Ce sont des enfants insensés, dépourvus d'intelligence. Ils sont habiles pour faire le mal, mais ils ne savent pas faire le bien. Je regarde la terre, et voici, elle est informe et vide ; les cieux et leur lumière ont disparu. Je regarde les montagnes, et voici, elles sont ébranlées, et toutes les collines chancellent. Je regarde, et voici, il n'y a point d'homme, et tous les oiseaux des cieux ont pris la fuite. Depuis le jour où vos pères sont sortis du pays d'Égypte, jusqu'à ce jour, je leur ai envoyé tous mes serviteurs, les prophètes, je les ai envoyés chaque jour, dès l'aube. Mais ils ne m'ont point écouté, ils n'ont point prêté l'oreille. Ils ont raidi leur cou. Ils ont fait le mal plus que leurs pères.

Je balbutiai :

— Ah ! Seigneur éternel ! Je ne sais point parler, car je suis un enfant.

— Non ! Ne gémis pas : « Je suis un enfant. » Car tu iras vers tous ceux auprès de qui je t'enverrai, et tu diras tout ce que je t'ordonnerai. Ne les crains point, car je suis avec toi pour te délivrer.

Alors, Il étendit sa main et toucha mes lèvres.

— Voici, je mets mes paroles dans ta bouche. Regarde, je t'établis aujourd'hui sur les nations et sur les royaumes, pour que tu arraches et que tu abattes, pour que tu ruines et que tu détruises, pour que tu bâtisses et que tu plantes.

La voix se tut, je restai sans bouger, enveloppé par un souffle venu de rivages inconnus.

Lorsque enfin je me relevai, l'aube rougissait la terre. J'étais prêt.

Alors que je reprenais la route des vivants, le prince des Ténèbres se manifesta une dernière fois :

— Je reviendrai, Jésus. Avant la fin, je reviendrai. Et ce sera la nuit. Et tu me supplieras…

Moi, Jésus

*

Capharnaüm. Le 7 du mois de yyar.

Les légionnaires cernent la maison de Simon-Pierre. Marcellus donne ses dernières instructions :

– Le préfet l'a ordonné : pas de sang versé. Suis-je bien clair ?

Il lève la main. C'est le signal. Une dizaine d'hommes se mettent en branle. Le reste de la troupe reste en faction. En un éclair, la porte de la maison vole en éclats. Marcellus franchit le seuil. Les autres s'engouffrent à leur tour.

Les bougies mourantes du shabbat éclairent la pièce. Un homme est allongé sur des coussins, yeux mi-clos, et ne semble pas surpris par l'arrivée des soldats.

– Fouillez les pièces ! ordonne Marcellus.

Il se penche sur l'homme. Des reflets ocre dansent sur son casque impérial.

– Ton nom !

– Simon-Pierre, fils de Jonas. Et le tien ?

– Où sont les autres ?

Un sourire tranquille éclaire le visage du disciple.

– De qui parles-tu ? De ma femme, de ma belle-mère ou de mes enfants ?

– Fils de Jonas, où sont-ils ?

Un légionnaire revient et annonce :

– Personne. La maison est vide.

Marcellus arrache son épée du fourreau.

– Vas-tu répondre ?

– Je pourrais, si j'avais la réponse.

– Qu'on l'emmène ! ordonne le centurion.

Dehors souffle un air tiède. Le visage de la terre s'est assombri. Des passants observent la scène, l'œil réprobateur.

– Impies ! Païens ! Lâchez-le ! proteste quelqu'un.

– Silence ! aboie Marcellus.

Un vieillard crache par terre avec mépris.

On a lié les poignets de Simon derrière son dos. On le hisse sur un charroi. Les légionnaires remontent en selle. Les passants dressent leur poing sur leur passage.

Ce n'est qu'une fois la troupe repartie que deux femmes se détachent de la foule. Un voile masque partiellement leurs traits. La plus jeune questionne à voix basse :

– Vont-ils le tuer ?

– Je n'ose l'imaginer, Marie. Pilate ne serait pas assez fou.

– Il est en colère. La colère est parfois une courte folie.

– C'est vrai, approuve l'épouse de l'intendant d'Hérode. Alors, prions pour que le préfet recouvre ses esprits.

La Magdaléenne prend sa compagne par le bras.

– Viens. Allons retrouver les autres.

Les deux femmes remontent la venelle. Des ouvriers s'affairent autour d'un pressoir à olives. Plus loin, on entre-voit les contours de la grand-route impériale menant jusqu'à Damas. En arrivant à la hauteur de la caserne où est cantonné le détachement romain, elles pressent le pas et ne ralentissent qu'une fois le bâtiment hors de vue.

*

Moi, Jésus

Jérusalem. Palais du grand prêtre, le 8 du mois de yyar.

— Dans quoi sommes-nous tombés ? hurle Caïphas.

Le pas ferme, il s'approche de Nicodème et de Joseph d'Arimathie. Tout son corps tremble de fureur.

— J'attends vos explications !

Nicodème articule péniblement :

— Quelque chose nous échappe.

— C'est le moins qu'on puisse dire, mes frères !

Caïphas interroge :

— Êtes-vous absolument certains que le Nazaréen n'a pas pu quitter sa geôle ? À aucun moment ?

— Absolument. J'ai interrogé les gardes, et Yakira, la servante. Tous sont formels. Sa porte est verrouillée et n'a cessé de l'être. La pièce est sans fenêtre. D'ailleurs, en imaginant l'incroyable, en supposant que, par un tour de magie, il ait pu sortir, pour quelle raison serait-il revenu ? Où a-t-on vu un prisonnier qui, une fois évadé, réintégrerait sa cellule de son plein gré ?

— Dans ce cas, Nicodème, dis-moi, dis-moi comment les espions d'Hérode ont pu le surprendre sur les rives du lac ?

— Pilate m'a posé la même question. Pris de court, je n'ai pas trouvé de réponse. Je me suis contenté d'évoquer une machination. Après réflexion, je me suis dit que je n'avais peut-être pas eu tort de le faire.

Il marque une pause pour donner plus de poids aux propos qui vont suivre :

— Il est possible que les hommes du tétrarque se soient trouvés, sinon devant un jumeau du Nazaréen, du moins devant quelqu'un qui lui ressemblait fortement.

– Un jumeau ! s'exclame Caïphas en battant des paupières.

– Au risque de te surprendre, sache que l'idée n'est pas aussi folle qu'il y paraît. Figure-toi que, dans l'entourage proche de Jésus, il y avait un homme : Thomas. Savez-vous comment on le surnomme ? Didyme. Qui veut dire « jumeau ». Jumeau de qui ?

– Du... Nazaréen ?

– Pourquoi pas ? En tout cas, voilà qui lèverait le voile sur le mystère de ces apparitions répétées.

Caïphas souffle, abasourdi :

– C'est insensé. Si mon beau-père venait à le savoir... Voilà qui ne ferait qu'accroître ses inquiétudes. Un jumeau ?

Joseph d'Arimathie fait observer :

– Quelle autre explication aurions-nous ?

– Ce Thomas, l'un d'entre vous l'a-t-il vu ?

Nicodème et son compagnon secouent la tête.

– Mais il ne doit pas être bien compliqué de le retrouver.

– Dans ce cas, trouvez-le ! Et vite !

*

Quelque part en Judée, même jour.

Jésus a rangé le roseau encore humide dans son étui de bois, près du godet. Il observe le visage ravagé de la servante qui se tient devant lui et se dit qu'il est tellement criblé de rides qu'elle ne pourra plus vieillir.

Elle a fini de disposer sur la table un plat de fèves, des

oignons, une poignée de figues et une cruche d'eau et s'apprête à se retirer.

– As-tu besoin d'autre chose ?

– Tu peux partir.

Elle acquiesce, mais reste pourtant immobile, comme à l'affût. Elle se retourne, jette un coup d'œil en direction de la porte. Appuyé contre le mur, l'un des gardes semble somnoler. Alors, elle se risque à demander à mi-voix :

– Qui es-tu ? Ta figure m'est familière. Depuis que tu es arrivé ici, je ne cesse de me poser la question. Es-tu de Jérusalem ?

– De Nazareth. Toi non plus tu ne m'es pas étrangère.

– Qui es-tu ? Aide-moi.

Jésus fait un geste d'impuissance.

– Je ne me souviens plus.

La femme fait un pas en arrière. L'expression de son visage, jusqu'alors sombre, s'imprègne de stupéfaction, de doute, de joie, et devient lumineuse.

– Ne serais-tu pas Jésus ? le rabbi ?

– Si j'étais lui, je n'aurais point aimé que l'on m'appelle ainsi, car un seul est notre maître.

– Si ! Tu es le rabbi. Celui qui a sauvé Ava.

– Ava ?

La voix de la servante se fait murmure :

– Ma fille…, ma fille, Ava… Tu ne te rappelles pas ?

– Femme, je ne vois pas de quoi tu parles.

Les mains de la vieille se sont mises à trembler. Tout son corps n'est plus que frémissements.

– Mais si ! Mais si ! Cela s'est passé à Jérusalem, alors que tu venais de quitter le Temple. C'était au mois de kislev*. Je n'ai pas oublié la date, parce que c'était quelques jours après Hanoukka. Les prêtres avaient fait arrêter ma fille et l'avaient jetée en pâture à la foule. Te souviens-tu ? Te souviens-tu ?

Maintenant, il se souvient.

Ce matin-là, une fois de plus, les autorités sacerdotales cherchaient à le défier. Un lévite l'avait apostrophé violemment du haut des marches : « Rabbi ! La Loi de Moïse ordonne : si un homme commet un adultère avec une femme mariée, s'il commet un adultère avec la femme de son prochain, l'homme et la femme adultères seront punis de mort. Et toi, que dis-tu ? »

Yakira confie à voix basse :

– La femme adultère, c'était ma fille. Ma fille...

Jésus reste impassible. Elle dit encore :

– D'abord, tu n'as pas répondu. Tu t'es agenouillé sur le sol et avec ton doigt tu as écrit quelque chose sur le sable. Comme si le sort d'Ava ne t'intéressait pas. Mon cœur saignait. Ils ont insisté. Un prêtre a crié : « Entends-tu, rabbi ? La Loi de Moïse prescrit aussi que, si une jeune épousée ne s'est point trouvée vierge, on la fera sortir à l'entrée de la maison de son père ; elle sera lapidée par les gens de la ville, et elle mourra. » Alors, tu t'es relevé et tu les as toisés en silence, avant de déclarer : « Que celui de vous qui est sans péché jette le premier la pierre ! » Ensuite, tu t'es agenouillé de nouveau et tu as recommencé à écrire. Toujours avec la même indifférence.

– Indifférence ?

_____

* Entre le 30 novembre et le 29 décembre.

– Lentement, la foule s'est dispersée. Il n'est plus resté personne. Seulement les prêtres, ma fille et moi. Tu as marché vers Ava et tu lui as demandé : « Femme, où sont ceux qui t'accusaient ? Personne ne t'a-t-il condamnée ? » Elle t'a répondu : « Non, Seigneur. » Tu as souri et tu lui as dit : « Je ne te condamne pas non plus : va, et ne pèche plus. »

Des larmes coulent sur les joues parcheminées.

– J'ai raison, n'est-ce pas ?

Oui, elle a raison, songe Jésus. Sitôt que la fille et la mère étaient reparties, il s'était avancé vers les prêtres et leur avait déclaré : « Engeance de vipères ! Ne voyez-vous pas que je suis la lumière du monde ; celui qui me suit ne marchera pas dans les ténèbres, mais il aura la lumière de la vie ! »

Les prêtres s'étaient mis à vociférer : « Tu rends témoignage de toi-même, ton témoignage n'est pas vrai ! » Il avait levé le front « Quoique je rende témoignage de moi-même, mon témoignage est vrai, car je sais d'où je suis venu et où je vais ; mais vous, vous ne savez d'où je viens ni où je vais ! »

Car je sais d'où je suis venu et où je vais...

Et aujourd'hui ? où va-t-il ? Manquerait-il une page au livre qui lui fut révélé ?

Ce même jour, ses frères, sauf Jacques, avaient cherché à se saisir de lui. Joses, Simon et Jude avaient assisté à la scène et leur fureur était grande. Ils s'étaient précipités sur lui avec la rage des bêtes sauvages et l'avaient entravé. « Tu es hors de sens ! Tu vas tous nous ruiner ! »

Joses, le cadet, avait adjuré les prêtres de le jeter aux fers.

Ceux-ci avaient grimacé : « Votre frère est possédé de Belzébul ! C'est par le prince des démons qu'il chasse les démons. »

Il avait rétorqué avec ironie :

« Comment Satan peut-il chasser Satan ? »

Peut-être l'auraient-ils lapidé en lieu et place de la fille si les disciples n'étaient intervenus. Ainsi venait de s'accomplir sa prophétie : « Vous serez livrés même par vos parents, par vos frères, par vos proches et par vos amis. Ils feront mourir plusieurs d'entre vous, car vous serez haïs de tous, à cause de mon nom. »

Il sursaute au contact de la main de la servante.

Fébrile, elle déroule les mots les uns après les autres comme un écheveau qui se dévide.

– Rabbi, comment es-tu venu jusqu'ici ? Ne t'avait-on pas crucifié ? À Jérusalem, on racontait partout que tu étais mort. Sais-tu que ma fille était sur le mont du Crâne, ce vendredi-là ?

– Laisse. Ces choses ne nous concernent pas.

– Pourquoi t'ont-ils enfermé ici ? Qu'as-tu fait ?

Il répète :

– Laisse, femme.

Elle le contemple, attristée.

– Tu as l'air si fatigué. J'aimerais t'aider. Que puis-je faire ? Veux-tu que je prévienne quelqu'un ?

Une lueur fuse dans les prunelles du fils de l'homme. Ses lèvres sont prêtes à articuler : Ma mère. Préviens Marie. Mais il répond :

– Non. Personne. Et je te le redis : je ne suis pas le rabbi.

La vieille montre les fèves et les oignons.

150

— Ces repas, quelle misère ! Demain, je t'apporterai un bon poisson et des dattes.

Elle s'interrompt d'un coup, puis :

— Puis-je te poser une question ? M'autorises-tu ?

Il ne répond pas.

— Ce jour-là, qu'écrivais-tu sur le sable ?

Un sourire énigmatique éclaire les lèvres de Jésus. Il élude une fois encore et demande :

— Quel est ton nom ?

— Je m'appelle Yakira.

— Yakira, où sommes-nous ?

— À quelques lieues de Bersabée.

C'est donc cela. Les propos de Nicodème s'éclaircissent : *Une embarcation t'attend à Jaffa…* Bersabée est à une quinzaine de milles du port.

Soudain, il saisit la plume posée devant lui et couche rapidement quelques phrases.

— Écoute-moi, Yakira. Peux-tu me faire une promesse ?

— Tout ce que tu souhaites.

Ses prunelles scrutent celles de la femme.

— Tu ne m'as jamais vu. Jamais. En mémoire de ta fille. Promets-le-moi. C'est important.

— Par l'or du Temple, je te le promets.

— À Béthanie habitent Lazare et ses sœurs, Marthe et Myriam. Tu pourrais leur faire parvenir ce mot ?

Elle adopte un air désolé.

— Regarde comme je suis vieille. Et puis les gens d'ici épient tous mes mouvements. Mais le jour où j'irai faire des provisions à Bersabée, je pourrai peut-être le confier à mon fils, Yalone.

Jésus roule le papyrus et le glisse hâtivement dans la main de la servante.

– Fais de ton mieux, Yakira.

– Hé, toi !

La voix du garde a tonné dans le dos de la femme.

– Que se passe-t-il ?

Elle fait volte-face, affolée.

– Rien, rien… J'ai fini.

Le garde est sur le seuil. Son regard soupçonneux va de Jésus à la servante qui s'éclipse à petits pas.

La porte claque.

Jésus repousse avec dégoût le bol de fèves.

Je sais d'où je suis venu et où je vais…

10

Césarée. Résidence de Pilate. Le 9 du mois de yyar.

Surveillé par deux légionnaires, Simon-Pierre toise Pilate. On sent le préfet proche de l'exaspération.

— Tu mens, fils de Jonas ! Et tes mensonges sont stériles. Ne vois-tu pas que le temps joue contre vous ? Car nous allons le retrouver. C'est une question de jours, voire d'heures.

Simon rétorque d'une voix posée :

— Tu ne le retrouveras pas, préfet, parce que là où il est, aucun mortel ne peut accéder.

— Tu devrais savoir qu'il n'existe aucun endroit du monde connu qui soit inaccessible à la puissance de Rome.

— Tu as dit : « Aucun endroit du monde connu. »

Une lueur d'inquiétude passe dans le regard de Pilate.

— Où est-il ?

— Il nous a un jour confié : « Vous me chercherez et vous ne me trouverez pas, et vous ne pourrez venir où je serai. »

— Parle clairement ! Qu'est-ce que ce charabia ?

— Tu m'as posé une question, j'ai répondu.

— Sais-tu ce que tu risques, fils de Jonas ? Tu l'as sans

153

doute oublié, mais le préfet de Rome a pouvoir de vie et de mort sur les sujets de ce pays.

Simon-Pierre exhale un soupir.

— Si au moins je savais de quoi tu m'accuses.

— Je t'accuse, toi et ta bande, de comploter contre Rome, de mettre en péril la sécurité de l'Empire, de fomenter des séditions et de nier la divinité de l'empereur en proclamant, comme tous vos frères juifs, qu'il n'existe pas d'autre dieu que le vôtre ! Que préparez-vous ? Combien êtes-vous ?

— Nous préparons l'avènement du royaume des cieux. Nous ne sommes qu'une poignée, mais demain…

— Combien ? Où se terrent-ils ?

— Quelle importance, puisqu'un jour nous serons plus nombreux que le sable de Judée ! Quant aux accusations dont tu nous accables, je n'en assume qu'une seule : il n'est pas d'autre dieu que le Dieu d'Abraham. Tout le reste est chimères.

— Chimères ? Le retour de ton Jésus, une chimère ? Cette machination visant à nous faire croire qu'il serait revenu d'entre les morts ? Des chimères ?

— Il est ressuscité. Je l'ai vu. Je lui ai parlé. Je l'ai touché.

— Tu n'es pas le seul à avoir eu ce privilège. Les espions d'Hérode aussi l'ont vu. Seulement, il n'est jamais mort ! Des crucifiés, j'en ai côtoyé ! Des brigands, des mutins, des pirates, des prisonniers de guerre. On ne meurt pas en trois heures sur une croix. C'est vous qui l'avez arraché à son tombeau alors qu'il était encore en vie. Vous qui l'avez caché !

Une expression indulgente se glisse sur le visage de Simon-Pierre.

– Je te plains, préfet. Ne vois-tu pas que ton tourment vient uniquement de ton refus d'accepter la vérité ?

– La vérité ?

– Jésus est ressuscité.

– Par conséquent, point de doute, il serait le Messie ?

Simon-Pierre ferme les yeux. C'était il y a quelques mois. Le maître avait rendu la vue à un aveugle de Bethsaïde en lui recommandant expressément de ne pas propager la nouvelle et de rentrer directement chez lui. Peu après, alors que tout le groupe cheminait en direction de Césarée de Philippe, Jésus demanda : « Qui dit-on que je suis, moi, le fils de l'homme ? » On lui répondit : « Les uns prétendent que tu es Yohanane, le baptiseur ; d'autres, Élie ; d'autres encore, Jérémie, ou l'un des prophètes. – Et vous, qui dites-vous que je suis ? » Pierre s'empressa d'affirmer : « Tu es le Messie ! » Contre toute attente, la figure de Jésus se ferma. « Je t'interdis de le répéter, se récria-t-il. Jamais. Tu m'as bien compris ? » Et il ajouta aussitôt qu'il fallait que le fils de l'homme souffrît beaucoup, qu'il fût rejeté par les anciens, par les principaux sacrificateurs et par les scribes, qu'il fût mis à mort, et qu'il ressuscitât le troisième jour. Mais, choqué par ces déclarations, Pierre, l'ayant pris à part, commit l'incroyable maladresse de les critiquer. Comment ? Leur maître allait mourir ? Tout ce qu'ils avaient amorcé serait réduit à néant ? leurs espérances ? et le royaume promis ? et la chute des mécréants ? et le salut d'Israël ? Alors, Jésus, se retournant et prenant à témoin les quatorze, lui signifia violemment : « Arrière de moi, Satan ! car tu ne conçois pas les choses de Dieu, tu n'as que des pensées humaines. »

L'injure était terrible. Lui, Simon-Pierre, qualifié de Satan ? Mais en vérité, le maître avait eu raison. Pendant longtemps, lui et les autres s'étaient tellement fourvoyés. Comme ce pauvre Judas. Surtout Judas. Ils avaient tout confondu.

– Vas-tu répondre ?

Le disciple fixe Pilate.

– Que disais-tu ?

– Je te demandais si selon toi le Galiléen était réellement le Messie.

– Il l'est.

Pilate croise les bras.

– Très bien. Il l'est. Alors, en tant que tel, je suppose qu'il n'a rien à redouter de la puissance de Rome ni de personne ? Tu peux donc sans crainte me révéler où il se cache.

– Ce n'est pas un secret. Même les membres du Sanhédrin sont au courant. Au moment de son procès, Notre Seigneur leur a clairement révélé l'endroit où il se trouverait après sa mort.

– Parle !

– Je ne peux que te rapporter les propos qu'il a tenus : « Désormais le fils de l'homme sera assis à la droite de la puissance de Dieu. »

Pilate se dresse. Son visage est blanc de colère rentrée.

– Comme tu voudras, fils de Jonas. Tu ne crains probablement ni la torture ni la mort. L'emprisonnement sera donc le plus sévère châtiment.

Il ordonne aux légionnaires :

– Qu'on l'enferme.

Moi, Jésus

*

Bersabée. Le 10 du mois de yyar.

Sur les étals s'amoncellent des grenades d'Égypte, des melons, des fagots de coriandre et d'anis, même du poivre d'Abyssinie rapporté par les caravanes. Les marchands s'égosillent et gesticulent. Les acheteurs dérivent, écrasés de soleil. Jamais un printemps ne fut aussi chaud. À l'ombre d'un amandier, Yakira scrute la foule. Elle attend. Yalone est toujours là à cette heure. C'est ici qu'il écoule les jarres qu'il façonne dans son atelier. La vieille servante lève les yeux vers le ciel. Il sera bientôt au midi.

— *Ima !* Mère !

Le voilà, enfin ! Le jeune homme traîne sa charrette à bout de bras en se frayant péniblement un chemin parmi la foule.

— *Ima !* Que fais-tu là ?

— Je t'attendais, mon fils. Tu es en retard.

— Je livrais des cruches à Oved, l'aubergiste. Comment se fait-il que tu sois à Bersabée ?

— Je devais te parler.

— Pourquoi n'es-tu pas venue directement à la maison ?

— Je ne pouvais pas.

— Tu manques à ta petite-fille, tu sais. Adina aurait été heureuse de te voir. Tu…

La vieille le coupe :

— Écoute-moi, écoute-moi, Yalone, c'est important.

— Tu me fais peur. Que se passe-t-il ?

– Tais-toi ! Écoute-moi. Je…

Yakira ne va pas au bout de sa phrase. Elle s'arc-boute. On croirait qu'elle va basculer en arrière, elle se redresse et s'affaisse dans les bras de son fils.

– *Ima ! Ima !*

Une voix couvre ses lamentations :

– Regardez !

Un homme désigne une auréole sanglante qui s'est formée à mi-hauteur du dos de la vieille et le poignard enfoncé jusqu'à la garde.

Une fillette pousse un hurlement.

– L'agresseur ne doit pas être loin ! s'exclame un marchand de raisins. Retrouvons-le !

On s'interpelle, des mains se tendent. La fillette continue de hurler.

Yalone, lui, garde serré contre lui le corps de sa mère. Les lèvres de la vieille femme s'animent. Elle essaye de dire quelque chose. Yalone approche son oreille.

– Lazare… de Béthanie… Myriam… Béthanie.

Un râle éteint définitivement sa voix.

– Elle tient quelque chose dans sa main, remarque la fillette.

Yalone ne semble pas l'avoir entendue, alors elle répète :

– Elle tient quelque chose…

Le jeune homme se décide à porter son attention vers l'endroit désigné par la fillette. Un fragment de papyrus pointe entre les doigts noués de la défunte.

*

Moi, Jésus

Le lendemain. Césarée, résidence de Pilate.

– Seigneur préfet, il se passe quelque chose.

Pilate, assis à sa table de travail, pousse un grognement.

– Qu'y a-t-il, Marcellus ?

– Dehors. Venez voir.

Pilate se lève à contrecœur, écarte la tenture pourpre qui masque partiellement la fenêtre ouverte sur la mer.

Une dizaine d'individus se tiennent groupés au pied du mur d'enceinte, devant l'entrée de la résidence. Des légionnaires, javelots pointés sur eux, leur barrent le passage.

– Qui sont-ils ?

– Ses disciples.

– Quels disciples ?

– Ceux du Nazaréen.

– Ceux que nous recherchons ?

– Ceux-là mêmes, seigneur préfet.

– Sont-ils armés ?

Marcellus répond par la négative.

– Ils exigent qu'on les emprisonne. Ils affirment vouloir connaître le même sort que leur compagnon, ce Simon-Pierre.

Pilate lève les bras au ciel.

– Ces gens seraient donc tous fous ? Qu'on me les amène immédiatement ! Et convoque le greffier !

En même temps qu'il prononce cet ordre, resurgissent les scènes de l'affrontement vécu quelques années auparavant à la suite de l'affaire des effigies de l'empereur : un pouvoir peut se trouver plus désarmé devant des émeutiers sans armes que face aux soldats les plus redoutables. Il va se rasseoir. Décidément, cette affaire Jésus n'en finira jamais.

Dans un cliquetis d'armures, Marcellus réapparaît, accompagné par le greffier et les disciples. Un rai de soleil illumine les visages, s'incruste dans les barbes et les chevelures.

– Caïus ! ordonne Pilate au greffier. Prends note !

Un petit homme malingre trottine vers un coin de la chambre, déploie son écritoire et se tient prêt.

– Vos noms ! commande Pilate.

– André, fils de Jonas.

– Jean, fils de Zébédée.

– Jacques, fils de Zébédée.

– Philippe.

– Barthélemy, fils de Tolmaï.

– Matthieu Lévi.

– Jacques, fils d'Alphée.

– Thaddée.

– Simhon, de Cana.

– Jude, fils de Jacques.

– Nathanaël.

– Qui d'entre vous est le chef ?

Barthélemy prend sur lui de répondre :

– Celui que tu as injustement emprisonné.

– Reconnaissez-vous être les complices du Nazaréen ?

– Nous sommes uniquement les témoins du Messie, Jésus, réplique Simhon de Cana :

Marcellus juge utile de révéler :

– Seigneur préfet, celui-ci est un zélote ! Je l'ai tout de suite reconnu. Il y a deux ans, lui et les autres faisaient partie du groupe qui a semé le désordre chez les marchands du Temple. Nous avons dû intervenir pour que...

Le préfet arrête Marcellus de la main et s'adresse à Simhon.

– Quelle est ta profession ?

– Tanneur.

– Et zélote...

– C'est faux. Je suis opposé à l'usage de la violence.

– Tiens donc. Le jour de l'arrestation de votre Jésus, le dénommé Simon-Pierre n'a-t-il pas tranché l'oreille de Malchus, le chef de la milice du Temple ? Ou alors cet acte faisait-il encore partie de la longue liste de prodiges attribués à votre... Messie ?

– Ce fut un geste malencontreux. Isolé. D'ailleurs, ton centurion confond zélote et Cananéen. Je suis un Cananéen.

– Où est la différence ?

– Un Cananéen est un Juif qui milite pacifiquement pour que ses frères observent la Loi. C'est par ce moyen, et non par les armes, qu'il aspire à séparer le peuple d'Adonaï de l'idolâtrie et de l'immoralité pratiquées par les gens des nations.

– Pacifiquement ? Sans doute à l'exemple de Judas de Gamala qui a soulevé le peuple et ravagé les arsenaux royaux ?

Simhon sourit avec ironie.

– Je n'ai jamais appartenu à ce mouvement. Ou alors, je devais être très précoce. L'affaire remonte à plus de vingt ans et j'en ai trente.

Pilate fait une moue désabusée et se tourne vers Matthieu Lévi.

– Et toi ? Ta profession ?

– Publicain.

– Collecteur de taxes, donc.

Matthieu confirme.

– Est-ce bien raisonnable ? Un fonctionnaire qui se fourvoie avec des émeutiers ?

La voix du préfet monte d'un ton :

– Mais que souhaitez-vous donc ? Quel but poursuivez-vous ? Déstabiliser l'Empire ? Prendre le pouvoir ?

André, le premier, réplique :

– Rien de cela, préfet. Nous sommes fidèles aux recommandations de Notre Seigneur.

Pilate lui jette un regard en coin.

– Qui es-tu ?

– Le frère de celui que tu as arrêté. André, fils de Jonas.

– Je vois. Si tu me parlais des recommandations de votre… (il appuie volontairement sur le mot)… seigneur ?

– « Allez par tout le monde, et prêchez la bonne nouvelle à toute la création, faites de toutes les nations des disciples et enseignez-leur à observer tout ce que je vous ai prescrit. »

Un rire nerveux secoue le préfet.

– Simple, en effet. Cette bonne nouvelle ne serait-elle pas, par hasard, la fin de l'occupation romaine ?

Un silence têtu fait écho à sa question. Il reprend les derniers mots d'André :

– « Tout ce que je vous ai prescrit ». Quelles prescriptions ?

– Nous aimer les uns les autres.

– Quoi d'autre ?

– Comme il nous a aimés.

La voix de Matthieu enchaîne :

– « Si quelqu'un te force à faire un mille, fais-en deux avec lui. »

Puis celle du fils d'Alphée :

– « Si quelqu'un veut plaider contre toi et prendre ta tunique, laisse-lui encore ton manteau. »

– Silence ! tonne le préfet.

Faisant fi de l'injonction, Nathanaël quitte le rang et marche jusqu'à ce que sa figure frôle celle de Pilate. Il martèle, front levé :

– « Aimez vos ennemis ! »

Une pâleur extrême envahit les joues du Romain.

– Qu'ils rejoignent leur complice ! Aux fers !

Pilate les observe tandis qu'ils franchissent le seuil, raides, emplis d'indifférence. Il les compte machinalement. Onze. Ils représentent sans doute le premier cercle. Où se terrent les autres ? À quel moment vont-ils jaillir ? De l'Hadès ou des cieux ?

Les pressentiments du préfet sont fondés. En effet, il y en a d'autres, anonymes, éparpillés entre la Galilée, la Trachonitide, la Judée et la Samarie. Et parmi eux il en est un qui manque aujourd'hui à l'appel : Thomas le Jumeau.

*

Béthanie, la nuit du même jour.

Sous les regards incrédules de son frère Lazare et de sa sœur Marthe, Myriam relit à voix haute le mot que le jeune homme vient de leur remettre. Sous cet éclairage diffus qui lisse les traits, sa figure lumineuse offre un contraste saisissant avec celle, plus austère, de sa sœur, son aînée de cinq ans.

Myriam n'a pas trente ans, elle est au sommet de sa beauté. Fière, elle la revendique, comme elle revendique le mystère que confère le khôl à son regard, l'émotion que suscitent chez les mâles ses lèvres vermeilles et les rondeurs voluptueuses de son corps. À la différence de Marthe, dont le crâne est sagement recouvert d'un châle, ses cheveux de jais forment une rivière sur ses épaules. Elle n'est pas mariée ; elle jouit donc de ce privilège refusé à celles qui ont pris époux, contraintes de se raser la tête et de porter une *sheitel*, une perruque, afin de ne pas éveiller la concupiscence des hommes.

Femmes, misérables créatures à qui l'on interdit d'étudier ou de dérouler les rouleaux sacrés, sous prétexte de leur impureté menstruelle. Où est-il écrit qu'une femme n'aurait pas le droit au savoir ? Que le seul rôle qu'elle soit autorisée à jouer consiste à procréer et à tenir un foyer ? Une invention des prêtres, sans doute, ou une méchante interprétation des Écritures.

On a accusé Myriam d'être une pécheresse, une prostituée. Une prostituée ? Parce que, à la différence de ses sœurs d'infortune, elle a appris à lire, à écrire, pour mieux se nourrir de ce qui lui importe le plus au monde : la Parole divine ? Une prostituée ? Parce qu'elle n'a pas pris époux ? Parce qu'elle aime la vie, les plaisirs, la délicieuse violence de cet instant où deux corps se confondent ? D'ailleurs, en quoi une prostituée serait-elle méprisable ? Abraham a bien accepté de livrer sa propre épouse au pharaon en la faisant passer pour sa sœur. Rahab, qui aida son peuple à s'emparer de Jéricho, était elle aussi une prostituée. La mère de Jephté de Galaad, aussi. Judith permit à Holopherne de jouir d'elle pour pouvoir l'assassiner. Alors ? Des moins-que-rien, ou plutôt des héroïnes ?

À l'inverse de ses frères juifs qui, dans leur prière quotidienne, remercient l'Éternel de ne pas être nés païens ou femmes, Myriam, elle, exprime sa gratitude de n'être pas née homme.

« Je multiplierai, je multiplierai ta peine et ta grossesse, dans la peine tu enfanteras des fils. À ton homme, ta passion : lui, il te dominera. » L'homme devrait donc dominer la femme jusqu'à la fin des temps, lui qui ne fut créé qu'à partir de la poussière et qui, par conséquent, n'aura jamais l'endurance de la femme formée à partir d'un os de sa côte ? Et qui est ce Dieu capable de condamner une femme à enfanter dans la souffrance et de l'assigner à l'obéissance perpétuelle à son mari ? Qu'est ce Dieu qui autorise un mari à répudier son épouse dès lors qu'elle se montre incapable de procréer ? Est-ce l'Éternel ou les hommes qui ont érigé ces commandements ?

Si sa route n'avait croisé celle du Nazaréen, Myriam serait restée jusqu'à la fin de sa vie enfermée dans ses révoltes, en proie à tous ses questionnements. C'était au mois de kislev, quelques jours après Hanoukka. Les corbeaux du Temple avaient jeté en pâture à la foule une fille coupable d'adultère. Pris à témoin, Jésus, que Myriam voyait et entendait pour la première fois, avait demandé que celui qui n'avait jamais péché lançât la première pierre.

Pour elle, ces paroles sonnèrent comme une révélation. Ainsi, elle n'était pas seule au monde ! Quelqu'un existait qui prêchait la tolérance, qui abolissait l'esprit de vengeance et rendait blasphématoire la vindicte populaire. Quelqu'un qui estimait que la chair était faible et l'humain incertain et qu'aucun être vivant n'était exempt de fautes. Dès cet instant, chaque fois qu'elle en avait eu l'occasion, Myriam avait marché au côté du Nazaréen.

Un jour, elle s'était retrouvée au milieu de la foule rassemblée au pied de la colline qui surplombe la mer de Galilée. Pour écouter le maître, des femmes, des hommes, des enfants étaient venus de Jérusalem, de la Judée, et d'au-delà du Jourdain.

La voix du Nazaréen avait retenti.

Elle rendait grâce aux pauvres en esprit, aux affligés, à ceux qui avaient faim et soif de justice. Elle annonçait aux miséricordieux qu'ils obtiendraient miséricorde. Elle assurait que les êtres au cœur pur verraient Élohim. Elle glorifiait ceux que l'on outragerait et persécuterait pour avoir cru en lui. Sa voix condamnait aussi les hypocrites qui, dans les synagogues et au coin des rues, priaient pour être vus, mais louait en revanche ceux qui s'adressaient à l'Éternel dans le secret de leur chambre.

Jésus avait terminé son discours en récitant des versets du Kaddish, l'une des prières les plus importantes du judaïsme, mêlés à ceux de la liturgie de la fête de Kippour :

« Que le nom du Très-Haut soit exalté et sanctifié dans le monde qu'Il a créé selon Sa volonté. Que Son règne soit proclamé de nos jours et du vivant de la maison d'Israël. Qu'Il nous pardonne nos péchés comme nous les pardonnons à tous ceux qui nous ont offensés. Qu'Il ne nous livre pas au pouvoir du péché, de la transgression, de la faute, de la tentation ni de la honte. Qu'Il ne nous laisse pas dominés par le mal. Qu'Il voie notre misère et mène notre combat. Qu'Il nous délivre sans tarder à cause de son Nom, car Il est le Libérateur puissant. »

Myriam était rentrée à Béthanie, l'âme brûlante. Quelques jours plus tard, elle apprenait par Marthe que Jésus serait bientôt chez leur voisin Simon. N'écoutant que son cœur, elle prit un flacon de nard, une fortune, et se rendit dans la demeure du notable. Ni les protestations des serviteurs ni les cris outragés des invités, tous des hommes, ne l'empêchèrent de se jeter aux pieds du maître. Bouleversée de se trouver si proche de lui, elle fut incapable de contenir ses sanglots. Ses larmes se mirent à couler sur les pieds de Jésus. Alors, elle les essuya avec ses cheveux et les inonda de parfum. Voyant cela, Simon, choqué, grommela : « Si cet homme était prophète, il connaîtrait qui et de quelle espèce est la femme qui le touche, il connaîtrait que c'est une pécheresse. »

Myriam faillit se relever, prête à mordre. Mais déjà Jésus répondait : « Simon, j'ai quelque chose à te dire. Un créancier avait deux débiteurs : l'un devait cinq cents deniers, et l'autre cinquante. Comme ils n'avaient pas de quoi payer, il leur remit à tous deux leur dette. Lequel l'aimera le plus ? » Simon répondit : « Celui, je pense, auquel il a le plus remis. » Jésus lui dit : « Tu as bien jugé. »

Puis, il ajouta : « Vois-tu cette femme ? Je suis entré dans ta maison, et tu ne m'as point donné d'eau pour laver mes pieds ; mais elle, elle les a mouillés de ses larmes et les a essuyés avec ses cheveux. Tu ne m'as point donné de baiser ; mais elle, depuis que je suis entré, n'a point cessé de me baiser les pieds. Tu n'as point versé d'huile sur ma tête ; mais elle, elle a versé du parfum sur mes pieds. C'est pourquoi, je te le dis, ses nombreux péchés ont été pardonnés : car elle a beaucoup aimé. Sache que celui à qui on pardonne peu aime peu. »

Se penchant vers Myriam, il lui caressa tendrement le front en murmurant : « Tes péchés sont pardonnés. Ta foi t'a sauvée, va en paix. »

Comment aurait-elle pu oublier ?

— Puis-je repartir ? questionne Yalone timidement.

— Je t'en prie, pas tout de suite, répond Lazare. Es-tu sûr de n'avoir rien omis ? Ta mère ne t'a rien dit de plus ?

Le jeune homme secoue la tête.

— Elle n'a pas eu le temps. Juste vos noms et celui de votre village. J'en ai déduit que le message trouvé dans sa main vous était destiné.

— Tout à l'heure, tu nous expliquais qu'elle avait l'air tourmenté. Sais-tu pourquoi ?

— Non.

Marthe demande à son tour :

— Et tu n'as aucune idée de l'endroit où elle travaillait ? Chez qui ?

— Non. En revanche, j'ai cru comprendre qu'elle était grassement payée.

— Comment a-t-elle trouvé cet emploi ? Depuis quand ?

— Il y a une quinzaine de jours environ, un homme est venu à la maison et lui a proposé de travailler pour lui.

– Il n'a pas décliné son identité ?

– Peut-être. Mais je n'étais pas présent lorsqu'il nous a rendu visite. Et j'avoue ne pas avoir pensé à interroger ma mère.

– C'est bien dommage, soupire Lazare. Car il est probable que c'est lui l'assassin. Lui ou quelqu'un de son entourage.

– Ta sœur, ton père… peut-être sont-ils au courant ?

– Je leur demanderai. Mais j'en doute.

Le silence s'instaure dans la pièce.

Dans la tête de Marthe, de Myriam et de leur frère, mille pensées confuses se bousculent. Ce message… Qui peut bien en être l'auteur ? Et pourquoi ce meurtre ?

– Puis-je partir ? questionne Yalone une nouvelle fois.

– Oui, répond Lazare. Toutefois, si tu apprends quoi que ce soit, je t'en conjure, n'hésite pas à nous tenir informés.

Le jeune homme acquiesce mollement. Il a tellement vieilli en quelques heures.

À peine est-il sorti que Lazare se tourne vers Marie.

– Relis le mot, je t'en prie.

La femme s'exécute :

– « Si quelqu'un vous dit : Jésus est ici, ou il est là, ne le croyez pas. Car il s'élèvera de faux Jésus et de faux prophètes. Heureux ceux qui n'ont pas vu, et qui ont cru. »

– Et aucune signature.

– Aucune.

– C'est vraiment étrange.

Il répète, comme pour s'imprégner du sens :

– « Si quelqu'un vous dit : Jésus est ici, ou il est là, ne le croyez pas. »

– Le maître aurait-il prononcé un jour cette mise en garde ? s'informe Marthe.

Myriam adopte une moue dubitative.

– Comment savoir ? Seuls ses disciples pourraient nous répondre.

– Nous devrions essayer de les voir, suggère Marthe. Ils sont probablement à Capharnaüm.

– Ou ailleurs…

Lazare tend la main.

– Donne-moi la lettre.

Myriam lui remet le papyrus. Il l'examine, le relit, le relit encore, à la recherche d'un indice, d'un lien caché. Finalement, la mine découragée, il le rend à sa sœur.

– Si j'osais, je dirais que l'auteur cherche à remettre en question la résurrection du maître.

– Comment ? s'exclame Myriam.

– « Si quelqu'un vous dit : Jésus est ici, ou il est là, ne le croyez pas. » Or Jésus est apparu à Marie de Magdala, à l'époux de Marie de Clopas sur la route d'Emmaüs et aux disciples. Celui qui a écrit ce texte semble vouloir nous indiquer que ces apparitions sont trompeuses, que ceux qui en furent les témoins sont des menteurs. N'ai-je pas raison ?

– Quelqu'un chercherait à semer le doute en nous ? Pour quel motif ?

– Que te répondre, ma sœur ? De plus, il y a cette pauvre femme assassinée. C'est à n'y rien comprendre. Qui pourrait supposer un seul instant que nous serions capables d'éprouver le moindre doute ? Et quand bien même tous viendraient à vaciller, comment imaginer que moi, Lazare, revenu grâce au maître du fin fond des ténèbres, je pourrais douter ?

À l'évocation de ce souvenir, l'émotion s'empare de Myriam et de Marthe.

Rabbi ! Rabbi, Lazare est mourant ! Lazare se meurt !

Dans leur désespoir, les deux sœurs avaient envoyé leur servante auprès de Jésus afin qu'elle le supplie de venir à Béthanie, car lui seul pouvait arracher leur frère aux griffes de la mort. À leur grande stupeur, indifférent aux prières, il avait refusé de se déplacer et s'était contenté de répondre que la maladie dont souffrait Lazare n'était survenue que pour la gloire de Dieu, afin que le fils soit glorifié par elle.

La réponse les avait bouleversées. Lazare n'était-il pas son ami ? Sans doute un des plus chers ?

Deux jours… Deux jours s'étaient écoulés avant que Jésus ne se décidât à faire le voyage. Peut-être avait-il craint de se rendre en Judée, conscient de la menace qui pesait sur lui s'il entrait dans cette contrée ? L'hypothèse était plausible puisque plus tard elles avaient appris des disciples que, lorsque Jésus avait décrété : « Il est temps. Retournons en Judée », ceux-ci avaient tenté de s'opposer : « Rabbi, tes ennemis tout récemment cherchaient à te lapider, et tu retournes en Judée ! » Mais lui avait aussitôt mis un terme à la discussion en déclarant : « Lazare, notre ami, dort ; je vais le réveiller. » Face à l'attitude timorée du groupe, Thomas, Thomas le Jumeau, avait dû intervenir pour les encourager : « Il n'est pas question de l'abandonner ! Partons aussi, quitte à mourir avec lui ! »

Lorsque Jésus arriva aux abords de Béthanie, Lazare était

mort depuis quatre jours. Marthe alla à sa rencontre, tandis que Myriam, trop affligée, demeurait cloîtrée à la maison. « Seigneur, si tu avais été ici, mon frère ne serait pas mort ! » Pour tout commentaire, le rabbi répondit : « Ton frère ressuscitera. – Je sais, répliqua Marthe. Il ressuscitera au dernier jour. »

Alors, le maître affirma sur un ton étonnamment calme : « Je suis la résurrection et la vie. Celui qui croit en moi vivra, quand même il serait mort ; et quiconque vit et croit en moi ne mourra jamais. Crois-tu cela ? »

Elle ne put que bredouiller : « Oui, Seigneur, je crois que tu es le Messie, le Fils de Dieu, qui devait venir dans le monde. »

Sous un soleil rouge, suivis par une meute de curieux, ils reprirent la route de Béthanie. Une fois en vue du village, Jésus fit quérir Myriam. Le voyant, elle tomba à ses pieds et lui adressa le même reproche que sa sœur Marthe : « Seigneur, si tu avais été ici, mon frère ne serait pas mort. »

Il ne répondit pas, mais demanda où reposait Lazare.

On lui indiqua l'endroit. C'est alors qu'il fondit en larmes.

Jésus pleurait.

Nul auparavant n'avait été témoin d'un tel bouleversement.

Il pleurait comme si tout le chagrin de l'univers venait d'entrer en lui. Celui des hommes, des femmes, celui des fleurs, celui des pierres et des fleuves. Sur quoi, ceux qui l'entouraient s'exclamèrent : « Voyez comme il l'aimait ! »

Quelques-uns se risquèrent même à chuchoter : « Lui

qui a ouvert les yeux de l'aveugle, ne pouvait-il pas faire aussi que cet homme ne mourût point ? »

Une heure plus tard, ils arrivaient devant le sépulcre. Il était creusé dans la falaise, et une pierre était placée devant.

Dans une atmosphère lourde, Jésus ordonna : « Ôtez la pierre ! » Marthe s'affola : « Seigneur, il sent déjà, car il y a quatre jours qu'il est là ! »

Il la considéra avec indulgence : « Ne t'ai-je pas dit que, si tu crois, tu verras la gloire de Dieu ? »

Des hommes ôtaient déjà la pierre. Jésus s'avança d'un pas. Il leva les yeux vers le ciel : « Pour moi, je savais que tu m'exauces toujours ; mais j'ai parlé à cause de la foule qui m'entoure, afin qu'ils croient que c'est toi qui m'as envoyé. »

Alors, il commanda d'une voix impérieuse : « Lazare, sors ! »

Les instants s'égrenaient comme des siècles. Et Lazare apparut. Spectre arraché aux serres de la nuit, les pieds et les mains liés de bandes, et le visage enveloppé d'un linge.

« Déliez-le, et laissez-le aller », ordonna Jésus.

11

Quelque part en Judée.

Le fils de l'homme jette un coup d'œil sur le godet presque vide. Il faudra qu'il réclame de l'encre aux prêtres. Où sont-ils, d'ailleurs ? Voilà plus d'une semaine qu'ils ne sont pas réapparus. Et la servante ? Elle aussi a disparu. A-t-elle réussi à faire porter le message à Lazare et à ses sœurs ? Pourvu qu'ils aient compris son importance car, il en est convaincu, quelqu'un se fait passer pour lui. Sinon, comment expliquer ces apparitions ?

Un voile recouvre brusquement ses prunelles. La question qui n'a cessé de le tourmenter lui revient, lancinante : *Peut-on se trouver en deux endroits à la fois ?*

Et si ce n'était pas une machination des prêtres ?

Et si c'était lui, Jésus, qui possédait ce pouvoir ? Après tout, n'avait-il pas celui de guérir ? de rendre la vue aux aveugles ? de chasser les démons et de faire se mouvoir les paralytiques…

Non. Impossible. Il aurait su.

Marthe, Myriam, Lazare.

Lazare…

Ce jour-là, alors qu'il s'approchait du tombeau, il avait fondu en larmes.

Oh, ces larmes ! La perte de Lazare n'y était pour rien. C'était la prescience de sa propre mort qui s'était emparée de lui à l'approche de la tombe scellée. Il venait d'entrevoir l'instant maudit où la vie se transforme en râle. Ce serait la neuvième heure. Il y aurait des ténèbres sur toute la terre. Neuvième. Le soleil s'obscurcirait et le voile du Temple se déchirerait par le milieu. Dans un dernier sursaut, il pousserait un cri, le dernier : Père, je remets mon esprit entre tes mains…

Ôtez la pierre !

Dans quel puits insondable a-t-il puisé la force de prononcer ces mots ?

Lazare, sors !

La puissance de l'âme est grande, qui peut commander aux montagnes : Venez ! Et faire venir les montagnes. La puissance de l'âme est terrifiante, qui peut faire bouger les astres, et rendre la vue aux aveugles, et guérir les paralytiques, et faire rouler la lune dans le lit affolé des rivières. Sa vigueur est dans les arbres, dans les épis gonflés de soleil, dans les champs d'oliviers aux feuilles d'argent, dans l'œil du mendiant et la main du lépreux, dans l'espérance désespérée.

Je crois. Je crois. Je crois.

Lazare, sors !

Le Tout-Puissant avait déposé dans sa gorge des charbons ardents.

Je crois. Je crois. Je crois.

Afin qu'ils croient que c'est toi qui m'as envoyé.

Lazare est sorti de son sommeil. Et la terre a poussé un cri d'effroi parce qu'elle ne savait pas que Lazare n'était qu'endormi. Comme la fille de Jaïrus.

Lazare n'était qu'endormi.

À l'évocation de ces heures, les mains de Jésus tremblent un peu et son cœur cogne à tout rompre dans sa poitrine.

Il prend une profonde inspiration. La sérénité revient. Il se penche sur le papyrus.

Il devait être aux environs de la cinquième heure lorsque j'atteignis les rives du Jourdain. Alors que j'étais en train de me diriger vers la route de Béthanie, j'aperçus les deux personnages qui m'avaient apostrophé alors que j'étais avec Yohanane : André, le fils de Jonas, et Jacques d'Alphée. Il semblait que durant tous ces jours où je livrais combat dans le désert, ils n'avaient rien fait d'autre que guetter mon retour.

Ils me saluèrent et ne me posèrent aucune question sur le lieu où j'étais allé, ni sur les raisons de mon absence. André mit seulement un genou à terre.

– Rabbi, nous accompagnerais-tu en Galilée ? Ils sont nombreux ceux qui t'espèrent là-bas. Il y a aussi mon frère, Simon.

Je ne pus que sourire. Et répondis :

– C'est justement là que mes pas me conduisaient.

Trois lunes s'écoulèrent avant que nous ne soyons en vue du lac de Génésareth.

Les pêcheurs s'affairaient autour de leur barque. Une brise tiède gonflait le feuillage des arbres, les eaux frémissaient à peine et l'aube avait l'air de naître sur tout ce qui se mouvait.

André s'empressa de m'attirer vers un personnage qui, assis par terre, ravaudait un filet. Il devait avoir une trentaine d'années. Trapu, avec une large barbe au milieu d'un visage buriné, barré d'épais sourcils. Je reconnus l'homme. Je l'avais vu en compagnie d'André, et des autres. Il avait manifesté sa mauvaise humeur à l'égard des prêtres, de la présence des théâtres et des monuments érigés à la gloire des païens.

– Voici mon frère Simon, annonça André.

Et à Simon, il déclara :

– Voici Jésus.

Il n'y eut pas de réaction. André prit le bras de son frère et le secoua.

– Vois, il est le maître ! Celui dont Yohanane a dit : « Au milieu de vous, il y a quelqu'un que vous ne connaissez pas, qui vient après moi. Et je ne suis pas digne de délier la courroie de ses sandales. »

Alors seulement il se décida à lever les yeux vers moi. De petits yeux scrutateurs, ardents et noirs.

– La paix sur toi.

– La paix sur toi, Simon.

J'ajoutai :

– La pêche a-t-elle été bonne ?

Il marmonna, la tête dans son filet :

– J'en ai connu de meilleures.

– C'est pourquoi tu es inquiet.

Il me décocha un coup d'œil outré.

– N'est-ce pas naturel ? J'ai deux enfants, une femme et une belle-mère à nourrir. Alors, comment ne serais-je pas inquiet ?

— La vie n'est-elle pas plus que la nourriture, et le corps plus que le vêtement ?

Il me considéra, perplexe.

— Regarde autour de toi. Les oiseaux du ciel ne sèment ni ne moissonnent, ils n'amassent rien dans des greniers et pourtant le Père céleste les nourrit. Ne vaux-tu pas beaucoup plus qu'eux ? Vois les lis des champs : ils ne travaillent ni ne filent. Cependant, Salomon même, dans toute sa gloire, n'a pas été vêtu comme l'un d'eux.

— Des mots ! Les mots n'ont jamais assouvi un ventre vide.

— Manger, boire, se vêtir, sache que le Père sait que nous en avons besoin. Tu es un homme fort, Simon. Si tu consacrais cette force à la recherche du royaume et de la justice de l'Éternel, sois convaincu que toutes ces choses te seraient données en surplus.

— Des mots…

— Simon. Penses-tu par tes inquiétudes ajouter une coudée à la durée de ta vie ?

Il me questionna avec une pointe d'agacement :

— Que veux-tu de moi ?

— Te faire pêcheur d'hommes.

— Pêcheur d'hommes ?

— Un crieur. L'annonceur du royaume des cieux. Car le royaume des cieux est proche.

Il ricana.

— Le royaume des cieux ? Alors que sur cette terre nous sommes en plein naufrage.

— Quand le fils de l'homme, au renouvellement de toutes choses, sera assis sur le trône de sa gloire, ceux qui m'auront suivi seront de même assis sur douze trônes et jugeront les douze tribus d'Israël. Et quiconque aura quitté, à cause de mon nom, ses frères, ou ses sœurs, ou son père, ou sa mère, ou sa femme, ou ses enfants, ou ses terres, ou ses maisons, recevra le centuple et héritera la vie éternelle.

— Et que fais-tu des prêtres ? des scribes ? des lévites ? de cette Loi qui nous étouffe ? de ces prévaricateurs ? de ces Grecs, de ces Romains qui nous humilient ? Espères-tu les briser en prêchant l'union des cœurs et la paix ?

— Faux !

— Alors ?

— Je ne suis pas venu apporter la paix sur la terre, mais l'épée !

— L'épée…

— Je suis venu mettre la division entre l'homme et son père, entre la fille et sa mère, entre la belle-fille et sa belle-mère. Je suis venu apporter la renaissance des cœurs, la destruction des jours de sang, la tempête et le feu. Ils nous excluront des synagogues, mais point n'est besoin de synagogues pour louer Élohim. Ils nous excluront de leurs prières, mais nous serons dans celles du Père. Nous serons des lépreux à la face d'Israël, mais des lépreux jaillira un monde neuf.

Tout à coup, je vis une lueur intéressée luire dans ses prunelles. Il questionna sur un ton qui se voulait indifférent :

— Il m'a été rapporté que ton prédécesseur, Yohanane aurait osé déclarer aux prêtres : « De ces pierres-ci Dieu peut susciter des enfants à Abraham. » Partages-tu ces propos ? Sais-tu ce qu'ils sous-entendent ?

— Ils sous-entendent que Yahvé est le monde. Yahvé est Celui qui Est. C'est un esprit insaisissable qui va où Il veut, prisonnier d'aucune Loi, d'aucune préférence, d'aucune règle, d'aucune terre. Je prends à mon compte les mots de Yohanane et les fais miens. J'arracherai le cœur de pierre qui a cessé de battre dans le cœur des hommes, et je placerai dans leur poitrine un cœur de chair. J'offrirai la parole de Dieu en partage à tous les gens de toutes les nations. J'ouvrirai grandes les quatre portes de l'Orient, de l'Occident, du Sud et du Nord pour que s'y engouffre l'amour. Nul ne sera exclu.

Je poursuivis, mais comme si les mots m'étaient soufflés par une présence invisible :

— Quiconque entendra mes paroles et les mettra en pratique sera semblable à un homme prudent qui aura bâti sa maison sur du roc. La pluie pourra tomber, les torrents surgir, les vents souffler et se jeter contre cette maison : elle ne vacillera point. Mais quiconque entendra les paroles que je dis, et ne les mettra pas en pratique, sera semblable à un homme insensé qui a bâti sa maison sur le sable. J'ai besoin de ton aide, Simon. L'aide de tous.

Il se leva, me fixa longuement et dit :

— Partons.

Je posai ma main sur son épaule.

— Simon, fils de Jonas, dès ce jour tu seras appelé Képhas, le roc.

Le lendemain, ce fut au tour de Philippe de se joindre à nous. Il était de Capharnaüm, la ville qui était aussi celle d'André et de Képhas. Alors que nous marchions le long des berges, Philippe aperçut son ami, Nathanaël, un pêcheur lui aussi. Il se précipita vers lui pour lui annoncer :

— Nous avons trouvé celui dont les prophètes ont parlé, Jésus ! Jésus de Nazareth.

Nathanaël se mit à rire :

— Peut-il venir de Nazareth quelque chose de bon ?

Philippe le prit par le bras et le conduisit vers moi. Je lui lançai :

— Voici vraiment un Juif, dans lequel il n'y a point de fraude.

Nathanaël me dévisagea avec surprise.

— D'où me connais-tu ?

Je lui répondis :

— Avant que Philippe t'appelle, quand tu étais sous le figuier, je t'ai vu.

Dans ses yeux j'avais lu qu'il était en attente. En attente comme tout le peuple d'Israël.

Insensiblement, notre groupe croissait en nombre. Un jour, en passant devant le bureau des péages, je vis le publicain, Matthieu Lévi. Je l'invitai à me suivre et fus critiqué âprement pour ce choix. Tout comme on me critiqua de manger avec Zachée, autre publicain croisé à Jéricho et en compagnie de gens de mauvaise vie. De même que l'on me traita — sous prétexte que j'appréciais le vin et la nourriture — de glouton et d'ivrogne. Où est-il écrit que l'amour de l'Éternel est synonyme d'ascétisme ? Le plaisir du boire et du manger n'a-t-il pas été inscrit dans l'homme par le Créateur Lui-même ? Lorsque Yahvé créa le monde, ne créa-t-Il pas aussi les poissons, les oiseaux, tous les animaux vivants qui se meuvent ? Qui devrait jouir de ces bienfaits, sinon l'homme ?

Quant aux gens de mauvaise vie, aux pécheurs, aux païens, aux impurs dont on me reprochait tant la promiscuité, ils étaient à mes yeux inséparables de l'ensemble de la Création. Ce ne sont pas ceux qui se portent bien qui ont besoin de médecin, mais les malades. Je prenais plaisir à la miséricorde, non aux sacrifices, car je n'étais pas venu appeler des justes, mais des pécheurs. J'étais ici pour les brebis perdues.

Les frères Zébédée, Jean et Jacques. Thomas. Jude, Simhon le Cananéen. Thaddée et enfin Judas, que nous surnommions l'homme de Kerioth. Judas, l'enfant. Un très vieil enfant qui, à l'instar des autres, rêvait éveillé à des mondes terrestres. Ses rêves l'ont perdu. Ce sont ces quatorze-là qui formèrent le cœur de mes disciples. Et si bien d'autres suivirent – près de soixante-dix –, ce sont ceux-là qui formèrent la pierre angulaire de la maison que j'étais en train de bâtir. Des hommes, essentiellement, mais aussi des femmes venues en nombre. Celles qui ne pouvaient abandonner leur foyer se dévouaient en nous fournissant gîte, argent, vêtements et nourriture. Sans leur soutien, il est probable que notre existence eût été bien plus rude. Mais l'on me méprisa aussi pour la place que je leur accordais.

Peu à peu, ma renommée se répandit à travers tout le pays. J'enseignais dans les synagogues, au pied des monts, dans les vallées, dans les maisons que certains mettaient à notre disposition, à l'instar de Chochana, l'épouse de Zachée, le publicain ; Marie de Clopas ; Marie de Magdala ; Marthe et Myriam, les sœurs de Lazare. J'éprouvais, c'est vrai, une affection toute particulière pour ces deux femmes. Je les aimais pour leur douceur, leur esprit volontaire et leur grande beauté. Je ne me lassais pas de leur compagnie, surtout celle de Myriam que d'aucuns qualifiaient de pécheresse. Que n'ai-je entendu sur les liens qui m'unissaient à elle ! On m'accusa de partager sa couche, de l'aimer en secret d'amour d'homme, et même de la préférer à mes meilleurs disciples. Mensonges et calomnies !

Comme je l'ai déjà écrit, je ne pourrais me contenter d'aimer ou d'être aimé d'un seul être. J'avais été conçu pour me répandre dans l'univers, embrasser les astres et brûler en leur sein. Mes disciples, pour la plupart, étaient mariés. Je n'aurais éprouvé aucune gêne à l'être aussi. En vérité, si j'aimais ces femmes, c'est avant tout parce qu'elles étaient femmes, donc sœurs de l'homme. Ève ne fut pas créée après Adam, mais en même temps que lui. Yahvé les créa à son image. Il les a créés mâle et femelle. Ils ne faisaient donc qu'un seul et même être. Ce n'est qu'après, bien après, qu'ils furent arrachés l'un à l'autre.

Un jour, mes rapports avec le monde changèrent. Alors que je me trouvais au pied de la montagne, suivi par une grande foule, j'entendis tout à coup des cris d'horreur qui s'élevaient. Les gens s'écartèrent, comme si la foudre avait roulé à leurs pieds. Un lépreux venait d'apparaître, l'un de ces malheureux qui languissent aux carrefours des cités, rejetés et honnis par tous les hommes. C'est une maladie si terrible que même la Loi fait obligation aux prêtres de savoir la reconnaître.

Faisant le vide autour de lui, le misérable vint se prosterner devant moi. La peau tuméfiée, couverte d'ulcères et de crevasses, des yeux creux, des oreilles énormes, au lobule pendant. Il était effrayant à regarder. Il m'implora :

– Seigneur, si tu le veux, tu peux me rendre pur.

– Je...

Le battant vient de s'écarter avec fracas.

Les deux miliciens du Temple marchent vers Jésus. Malchus, l'homme à l'oreille tranchée, emprisonne ses poignets à l'aide d'une corde. On place un bandeau sur ses yeux. Il se débat. En vain.

– Lâchez-moi !

On l'entraîne au-dehors. Il est giflé par l'air du soir.

Des chevaux hennissent, effrayés.

On soulève son corps, on le couche sans ménagement sur une surface de bois et on le recouvre d'une toile. La nuit dans la nuit.

La charrette s'ébranle.

Chaque soubresaut est une agression. Où l'emmène-t-on ? Où sont les prêtres ? Qu'est-il arrivé à Yakira ?

Eli... Eli... lama sabactani ? Le cri de Jésus monte vers la lune qui, affolée, contemple l'humiliation du fils de l'homme.

Une heure, deux, peut-être trois s'écoulent ainsi à dévaler les routes de Judée. Finalement, la charrette s'immobilise dans un nuage de poussière.

Des mains se saisissent de Jésus. Un bâton dans les reins le force à avancer. Il trébuche, s'effondre, on le relève.

Est-ce possible ? Comme hier. Il entend les rugissements de la foule et les injures de tous les éclopés qu'il n'a pas guéris et qui l'agressent à coups de béquille, les lépreux qu'il n'a pas sauvés, qui plantent leurs ongles dans ses bras, les malédictions des possédés qu'il n'a pas libérés, vomissant leur bave sur sa figure et l'empestant de leur haleine satanique. Tous les loqueteux de la terre l'assiègent de leurs imprécations. Pourquoi pas nous ? Pourquoi les autres ?

Il perçoit le bruit d'une porte qui tourne sur ses gonds.

Il devine, plus qu'il ne voit, une lueur. Un chandelier ? une lampe ? Déjà la lumière du jour ?

On lui délie les poignets, on lui libère les yeux.

Il est repoussé dans un coin.

Le battant se referme.

Le silence.

Dans le clair-obscur, il entrevoit une silhouette qui tient quelque chose à la main. Un fouet ? Tout va donc recommencer ?

– La paix sur toi, rabbi.

Non, il ne s'agit pas d'un fouet, mais d'un bâton qui a la forme d'un serpent.

– La paix sur toi, rabbi.

Jésus se ressaisit.

– Approche ! Pourquoi te caches-tu ?

La silhouette bouge. Elle entre dans la lumière.

– Qui es-tu ?

12

Béthanie. Le 12 du mois de yyar.

Sous la voûte de la salle à manger, Myriam présente à ses hôtes un plateau garni de pains de miel. Installés autour d'une grande table, on reconnaît Jeanne, l'épouse de l'intendant d'Hérode ; Marie de Magdala, Lazare et sa sœur Marthe, Marie de Clopas et, enfin, Salomé de Zébédée.

— Pourquoi Claudia n'est-elle pas là ? questionne Lazare.

— Elle a déjà pris beaucoup de risques, répond Jeanne. Une chance que Pilate ne se soit pas aperçu de son absence le soir où elle est venue m'avertir de l'arrivée imminente des légionnaires.

— Bien sûr. Malheureusement, son intervention, si noble fût-elle, n'a servi à rien. Pierre a refusé de fuir. Les autres se sont rendus d'eux-mêmes à Césarée pour se livrer à la vindicte du préfet.

Lazare marque une courte pause avant de poursuivre :

— Mais si nous sommes réunis ici aujourd'hui, c'est pour essayer de trouver une explication au mystérieux message qui nous est parvenu. Je vous le relis : *Si quelqu'un vous dit : Jésus est ici, ou il est là, ne le croyez pas. Car il s'élèvera de faux Jésus et de faux prophètes. Heureux ceux qui n'ont pas vu, et qui ont cru.* J'ai aussitôt pensé que quelqu'un cherchait à semer le trouble en nous, puisque, à en croire ce mot, notre maître ne serait pas ressuscité. Il s'agirait d'une imposture.

Salomé porte une main à sa bouche pour étouffer un cri.

– Quelle ignominie ! Ainsi, nous aurions menti ? Et notre sœur, Marie, qui fut la première à lui parler ?

– Et Ovadia, mon époux ? surenchérit Marie de Clopas. Mon époux aurait donc lui aussi menti ? C'est absurde ! Il m'a bien certifié avoir parlé au maître cette nuit-là, alors qu'il marchait en compagnie de l'un de ses amis sur la route d'Emmaüs. D'ailleurs, Ovadia aussi bien que son compagnon ne l'ont pas reconnu sur-le-champ. Jésus leur a demandé de quoi ils s'entretenaient pour être aussi tristes. Et eux, surpris de ce qu'il ne soit pas au courant des derniers événements qui s'étaient déroulés à Jérusalem, lui en ont fait le récit. C'est seulement lorsqu'ils lui ont confié leurs doutes quant à la véracité de la résurrection que Jésus s'est manifesté en leur reprochant leur manque de foi.

– Ensuite, reprend Jeanne, ils se sont bien arrêtés dans une auberge, n'est-ce pas ?

Myriam confirme.

– Jésus ne le souhaitait pas. Mais Ovadia a insisté, faisant observer que le jour était sur son déclin. Et pendant qu'ils étaient à table, il a pris du pain et, après avoir rendu grâce, l'a rompu et le leur a donné.

– Pourtant, souligne Lazare, nous n'étions pas soir de shabbat.

– C'est exact, intervient Marthe. Mais, d'après Simon-

Pierre et ceux qui ont participé au dernier repas, Jésus souhaitait que l'on accomplisse ce geste en mémoire de lui, même en dehors du shabbat.

— Allons ! s'exclame Salomé avec une moue méprisante. Quel que soit celui qui a écrit ce message, on voit bien qu'il ignore tout des réalités. Si vous voulez mon avis, jetons ce papyrus dans les flammes et n'y pensons plus.

— Difficile, note Lazare. Tu sembles perdre de vue un détail essentiel : ce message a été la cause d'un meurtre. Pourquoi ?

Les regards se croisent. Le silence se noue. Myriam glisse nerveusement sa main dans ses cheveux. Marthe pioche un pain de miel. Marie de Magdala lève doucement la tête et son regard traverse Lazare comme si elle ne le voyait pas, mais observait une chose invisible située derrière lui, très loin.

— Qu'y a-t-il, Marie ?

— Je pense à une autre Marie, la mère de Notre Seigneur. Comme elle doit se sentir seule, et malheureuse.

— Jacques, son autre fils, m'a informé qu'elle était partie vivre à Cana, chez une parente. Elle avait sans doute besoin de s'éloigner de tout ce bruit et de toute cette fureur.

— Quelque chose me tracasse, lance tout à coup Lazare. Le message se termine bien par « *Heureux ceux qui n'ont pas vu, et qui ont cru* » ?

Tous confirment.

— Nos déductions sont donc erronées.

Un frémissement parcourt le groupe.

— Erronées ? répète Marie de Clopas.

— Réfléchissez. Nous venons de conclure qu'à travers ces propos l'auteur essayait, avec une certaine maladresse, vous en conviendrez, de semer le doute en nous. Cependant, si d'une part il porte atteinte à l'intégrité de nos témoignages, de l'autre, il rend tout de même grâce à ceux qui, bien que n'ayant pas vu le Christ, sont convaincus qu'il est revenu d'entre les morts, est-ce vraiment là le message d'un mécréant ?

– Effectivement, concède Salomé après un moment de réflexion, cette contradiction est surprenante.

– D'autant plus, souligne Lazare, qu'elle est la cause d'un assassinat. Un message rédigé dans la seule intention de nous troubler justifierait-il que l'on tue ? Non, bien évidemment. L'assassin de la servante devait avoir une raison de la plus haute importance pour accomplir son geste.

– J'ai noté un autre détail tout aussi curieux, observe Salomé. Il concerne Pilate. Vous savez tous, ici, que le préfet rechignait à condamner le maître. J'ai parlé avec Claudia. Elle m'a assuré que son mari n'a plié que sous la menace ; il craignait que les prêtres n'attisent la vindicte de la foule et que des émeutes en découlent. Dans ces conditions, dites-moi pourquoi, aujourd'hui, alors que tout est fini, Pilate fait volte-face et s'attaque aux disciples. Pourquoi ce changement d'attitude ?

– D'après Claudia, répond Jeanne, il pense être victime d'un complot. Selon lui, Jésus aurait échappé à la mort et s'apprêterait à provoquer un soulèvement.

Lazare hoche la tête.

– Et si Pilate avait raison ?

Les six femmes lui jettent un regard ébahi.

– Explique-toi, encourage Marthe.

– Après tout, aucun de nous ici ne peut dire avec certitude ce qu'il est advenu du maître. Serait-il impossible qu'il soit encore parmi nous ?

Une expression perplexe gagne les visages.

– N'a-t-il pas tout accompli ? rappelle Marie de Clopas. N'a-t-il pas affirmé : « Le fils de l'homme doit être livré entre les mains des hommes ; ils le feront mourir, et le troisième jour il ressuscitera » ?

– C'est vrai, concède Jeanne. Il a aussi exprimé ses dernières recommandations à Simon-Pierre et aux autres. D'ailleurs, à bien y réfléchir, ne se pourrait-il pas que le maître ait prononcé un jour les mots contenus dans le message que nous avons entre les mains ?

– C'est possible, approuve Lazare. Mais qui aurait pu en être témoin ?

– Ses disciples. Il suffirait de les interroger.

– Difficile. Ne sont-ils pas dans les geôles de Pilate ?

Un vent violent s'est levé. On entend au loin le lac de Génésareth qui gronde.

– Je pense qu'il existe un moyen, annonce soudain Salomé.

Tous se tournent vers elle, attentifs. Mais elle se penche vers l'épouse de l'intendant d'Hérode.

– Jeanne, tu connais bien Claudia. Je vais avoir besoin de ton aide.

*

Village de Jéricho. Le même jour.

Thomas le Jumeau fait penser à un enfant désemparé. Il prend la main de son épouse et la pose contre sa joue.

— Que dois-je faire, Mérav ? Je les ai abandonnés à leur sort. Je suis un lâche.

Mérav, loin de s'apitoyer, gronde :

— Arrête de te fustiger. Voilà deux jours que tu gémis sur ton sort. À quoi bon, puisque tu n'as rien à te reprocher ? Est-ce ta faute si tu n'étais pas auprès de Simon lorsqu'ils l'ont arrêté ? En quoi es-tu coupable si tes compagnons ont décidé ensuite de se livrer à Pilate ?

— Ne comprends-tu pas ? J'aurais dû être à leurs côtés !

— Tu ne pouvais y être puisque tu étais à Jérusalem en train de vendre tes peaux chez rabbi Ytzhak ! Il faut bien que nous vivions. Je t'en prie, arrête de te ronger. Pense à nos enfants.

Thomas lève aussitôt ses yeux embrumés sur Guerchom et Méchoulam. Les deux garçons d'une dizaine d'années sont assis sur des coussins à un pas de leur père et l'observent en silence.

— *Mékhilâ*, pardon, pardonnez-moi, mes petits.

Il enchaîne, mais à l'intention de Mérav :

— Qu'est-ce qui a bien pu justifier l'arrestation de Simon ?

Il semble sur le point d'ajouter quelque chose, mais une petite voix venue de la fenêtre l'interrompt :

— *Âba, âba*, père ! Des gens te cherchent.

Une fillette, cheveux ébouriffés, vient d'apparaître dans l'encadrement. Au même instant, on frappe à la porte.

Avant que Thomas et son épouse ne réagissent, Guerchom se précipite pour ouvrir.

— C'est ici qu'habite le dénommé Thomas ?

Thomas s'est levé. Il lui a suffi d'un coup d'œil pour

reconnaître les braies que portent les miliciens du Temple. Ils sont deux. Un troisième se tient en retrait.

– Que me voulez-vous ?

– Nous avons ordre de t'amener à Jérusalem. Suis-nous.

– Ordre de qui ?

– Du Sanhédrin.

– Pour quelle raison ?

– Je n'en sais rien. Et je n'ai pas à le savoir.

L'homme fait signe à Thomas d'avancer.

– Non ! crie Mérav, n'y va pas !

– Allons, femme, grogne le milicien. Ne fais pas d'ennuis.

– Laisse, murmure Thomas d'un ton soulagé. Je vais revenir.

La fillette, qui s'est faufilée entre les adultes, se blottit contre sa mère. Thomas se retourne, la prend dans ses bras, dépose un baiser sur son front et fait de même avec Guerchom et Méchoulam.

– Soyez sages, mes enfants. Je serai très vite de retour.

Mérav se jette contre son mari et l'enlace le plus fort qu'elle peut.

– N'y va pas, Thomas, j'ai un mauvais pressentiment. N'y va pas !

Thomas l'écarte doucement et franchit le seuil.

*

Quelque part en Judée. Même jour.

La silhouette est entrée dans la lumière. Les feux que projette la lampe parsèment ses cheveux couleur bronze de reflets métalliques. Jésus répète :

– Qui es-tu ?

– Tu ne me reconnais donc pas ?

Le fils de l'homme fait non de la tête.

– J'aimerais que tu pardonnes la brutalité des miliciens. Ces chiens mal dressés aboient et mordent. Ils ne savent rien faire d'autre. On leur donne un ordre et ils entendent : Mordez !

L'homme tend la main à Jésus pour l'aider à se relever. Le fils de l'homme ignore le geste.

– Ainsi, tu ne me reconnais pas ?

Jésus examine plus attentivement les traits du personnage. Ce visage épais et rude. Ces lèvres qui disparaissent presque sous une large barbe, ces joues massives, ces yeux, vides de toute expression.

– Caïphas !

– Oui, fils de Marie. Caïphas.

Poursuivant d'un ton neutre, le grand prêtre montre du doigt un coffre peint :

– Tu y trouveras des vêtements propres. Tu en as besoin, je crois. Tu pourras aussi te laver. Il y a un puits, tout près d'ici.

Il se laisse choir sur un tabouret et répète :

– Ces miliciens sont des chiens. Tout juste bons à hurler…

Le souffle de Jésus s'est accéléré.

– Souvent les chiens ne hurlent que parce qu'ils entendent de loin d'autres chiens hurler.

– C'est exact.

Un vague sourire se profile sur les lèvres du grand prêtre.

– Je vois bien à quoi tu fais allusion.

– Caïphas…

– Je sais. Tu te demandes si je suis un esprit ou un homme. Non, c'est bien moi. Le maître du Sanhédrin. Je suis venu à toi, la main tendue, le cœur pur. Je suis ici parce qu'il devenait indispensable que nous parlions.

– Tout n'a-t-il pas été dit ?

– En apparence. L'essentiel est resté scellé. Permets-moi de te rappeler certains détails. D'abord – et ce point est crucial –, sache que, ce soir-là, ce n'est pas moi qui ai ordonné ton arrestation. Bien qu'ayant la charge de grand prêtre, l'autorité sacerdotale a toujours résidé de fait entre les mains de mon beau-père, Hanan. L'ordre émanait de lui. Pour preuve, c'est en sa demeure que l'on t'a mené d'abord. Hanan t'a questionné. Il m'a été rapporté que tu as refusé – avec une juste fierté – de t'expliquer et que tu lui as suggéré d'interroger ceux qui t'avaient écouté. À mes yeux, cette attitude était parfaitement légitime, mais le respect exagéré dont mon beau-père a toujours été entouré la fit paraître scandaleuse ; un des témoins y répliqua, m'a-t-on dit, par un soufflet. Est-ce exact ?

Jésus acquiesce d'une brève inclinaison de la tête.

– Il se fait qu'en dépit de sa stature, Hanan n'avait aucune légitimité pour prononcer une sentence. C'est pourquoi il t'a renvoyé à moi, conscient bien entendu qu'il me plaçait dos au mur, ne me laissant pas d'autre issue que celle de ta condamnation. Au fond, je n'ai jamais été que l'instrument aveugle de mon beau-père. Ainsi qu'il est écrit : « Il a bâti autour de moi et m'a environné de poison et de douleur. » J'ai donc réuni dans la chambre de la Pierre taillée les membres du Sanhédrin, du moins ceux qui étaient à Jérusalem cette nuit-là. Tu connais la suite. La sentence était arrêtée ;

nous ne cherchions que des prétextes, c'est pourquoi sans doute tu n'as pas tenté de te défendre. D'une seule voix, l'assemblée t'a déclaré coupable de crime capital. Seulement, voilà. Si Hanan n'avait pas le pouvoir de te condamner, notre tribunal, assujetti à la Loi romaine, n'avait pas non plus celui du glaive. Il était donc indispensable que Pilate ratifiât notre décision. Il a renâclé. Il a essayé de trouver une échappatoire en t'envoyant chez Hérode, en ordonnant qu'on te flagelle, espérant que cet acte mettrait fin à notre revendication. En dernier recours, il a proposé d'échanger ta vie contre celle de l'assassin, Bar-Abbas. Il…

– Où veux-tu en venir, Caïphas ? J'ai vécu cette histoire, je la connais.

Caïphas prend son temps avant d'annoncer d'une voix rauque :

– Pas plus que Nicodème ou Joseph d'Arimathie, je n'ai souhaité ta mort. Je ne la voulais pas. Nous te savions innocent.

Le fils de l'homme ferme les yeux. Cette sensation de vertige, est-ce possible ? Le personnage contrit qui vient de s'exprimer ne peut être Caïphas. Celui qui déchira ses vêtements en assénant, rageur : « Il a blasphémé ! » Celui qui affirma un jour : « Il est de votre intérêt qu'un seul homme meure pour le peuple, plutôt que toute la nation périsse ! » Cet homme ne peut être le même que celui qui se trouve devant lui, tête basse, expression défaite.

Comme s'il avait perçu les questionnements de son interlocuteur, le grand prêtre enchaîne :

– Pourtant, fils de Marie, c'est la stricte vérité. Je le répète : je n'ai jamais souhaité ta mort. À l'exemple du

Romain, je me suis retrouvé prisonnier malgré moi, enfermé dans le piège tendu par mon beau-père.

Il ajoute d'une voix cassée :

— J'implore donc ta miséricorde, toi dont la réputation a toujours été celle d'un miséricordieux. Toi qui as enseigné : « Qui te gifle sur la joue droite, tourne aussi vers lui l'autre joue. » Toi qui as…

— Sais-tu au moins ce que je sous-entendais par cette phrase ?

Le prêtre hésite.

— L'exigence du respect, Caïphas ! Non la soumission. As-tu jamais eu conscience que lorsque l'on frappe un esclave, on le frappe toujours du revers de la main ? Geste de mépris. Si l'on doit frapper, mais cette fois la joue gauche, alors on est contraint de le faire avec le plat de sa main. J'ai seulement voulu dire : « Frappe-moi ! Mais d'égal à égal, non comme ton esclave ! » C'est le dédain exprimé face à celui qui cherche à vous humilier.

— Je comprends.

Et l'impensable survient. Caïphas met un genou à terre, saisit la main de Jésus et y pose humblement les lèvres.

— Pardon…

Sidéré, le fils de l'homme met quelques instants avant de se libérer.

— Non, Caïphas !

— N'aie crainte. Ne vois pas d'humiliation dans ma posture. Ne vois, je t'en prie, que l'expression de ma douleur.

— Il est des douleurs, Caïphas, qui, lorsqu'elles sont trop brûlantes, rendent insensible à tout. Même à notre propre douleur.

197

Le prêtre se raidit.

— Dois-je en déduire que tu me refuses ton pardon ? Tu me refuserais la délivrance ?

— Tu es libéré par ton aveu. D'ailleurs, tu n'as nullement besoin d'implorer mon pardon, il t'était acquis puisque je l'avais sollicité auprès du Père. J'ai imploré : « Pardonnez-leur, parce qu'ils ne savent pas ce qu'ils font. »

Caïphas se relève lentement.

— Je ne savais pas.

— Naturellement. Les lamentations du peuple ne percent pas les murs de la chambre de la Pierre taillée. Peu importe ! Nous voilà. Que veux-tu ? Ta présence indique que Nicodème et Joseph t'ont révélé ce qui s'est passé : je suis vivant.

— Oui, grâce au Seigneur. Sans trop y croire, j'ai caressé cet espoir lorsque j'ai adjuré nos amis de réclamer au plus vite ton corps auprès du préfet.

Jésus plisse le front.

— *Tu* les as adjurés ? Toi ?

— Oui, fils de Marie. Je n'ai pas eu à faire beaucoup d'efforts pour les convaincre, ils étaient déjà acquis à ta cause. Nicodème, surtout.

— C'est donc à toi que je dois d'être toujours en vie...

— Au Juif que tu as sans doute le plus haï. Oui.

Le fils de l'homme secoue la tête.

— La haine... la haine est un mot que j'ai désappris depuis bien longtemps, Caïphas. Tu n'as rien compris.

— Aurais-je dû ? Tu voulais abolir nos lois séculaires, celles de nos pères, remettre en cause les préceptes de la Torah, nos règles de pureté, notre légitimité, briser nos fondations. Tu as même blasphémé en évoquant la destruction de notre lieu le plus sacré : le Temple. J'ai affiché mon opposition. Tu ne pouvais que me détester.

Jésus répète :

– Tu n'as rien compris. Je n'ai jamais voulu abolir ne fût-ce qu'une seule lettre de nos Saintes Écritures. J'ai clairement déclaré : « Celui donc qui supprimera l'un de ces plus petits commandements, et qui enseignera aux hommes à faire de même, sera appelé le plus petit dans le royaume des cieux ; mais celui qui les observera, et qui enseignera à les observer, celui-là sera appelé grand dans le royaume des cieux. »

– N'est-ce pas contradictoire, alors que, dans le même temps, tu fréquentais des collecteurs de taxes, ces parias à la solde de Rome, des prostituées, des Samaritains, des lépreux, des paralytiques ? Tu enfreignais nos préceptes les plus sacrés au vu et au su de tout le monde. Celui qui défie la Loi, ne cherche-t-il pas à l'abolir ?

– Non, Caïphas. Il existe une différence majeure entre le fait d'abolir et celui de parfaire. La Loi ne peut demeurer telle quelle. Elle n'est plus faite pour l'homme. Elle vient de trop loin, d'un âge révolu. Avec son millier de prescriptions, son poids est devenu un fardeau plus lourd que tous les monts, plus poussiéreux que les demeures les plus négligées. Et surtout, l'heure est venue pour Israël de retrouver sa place dans le monde, il est temps d'insérer nos vies parmi toutes celles qui nous entourent et d'inscrire notre marche dans la marche ininterrompue du temps.

– Même celle des païens ?

– Même celle des païens, celle des gens des nations, sans distinction aucune. Il faut que s'achève la nuit solitaire qui a vu Jacob combattre l'Ange. Caïphas ! Nous sommes le peuple du questionnement, et c'est à travers ce questionnement que l'homme prend conscience de la générosité du Très-Haut. N'oublie pas : Israël est le sel de la terre. Si le sel perd sa saveur, comment la lui rendra-t-on ? Il ne servira plus qu'à être jeté dehors, et foulé aux pieds. Je te le redis : je ne suis pas venu abolir la Loi. Je suis venu la parfaire, libérer la Torah, la dégager des croyances archaïques et des concessions faites à d'antiques rituels.

Un éclair, juste un éclair, fuse dans les prunelles du grand prêtre.

— Qui t'accorde ce droit ? De qui le tiens-tu ?

— Je le tiens de Celui qui m'a envoyé.

Un silence. Caïphas enfonce son regard dans celui de Jésus.

— Puis-je te poser la même question que celle que je t'ai posée ce vendredi dans la chambre de la Pierre taillée : crois-tu vraiment que tu es le Messie ?

Un silence.

— L'important, Caïphas, n'est pas ce que je crois.

— Mais alors ?

— L'important est ce qu'*ils* croiront. Et ce qu'ils croiront suffira à faire trembler les montagnes.

Le prêtre hoche la tête à plusieurs reprises, comme s'il approuvait.

— Ta réponse me va. C'est pour elle que je suis ici. Tu viens de déclarer que l'heure est venue pour Israël de retrouver sa place dans le monde. Veux-tu contribuer à cette noble tâche ?

— N'y ai-je pas déjà contribué ?

— Plus encore. De manière plus éclatante.

— Parle sans détours.

— Nicodème et Joseph t'ont parlé de l'espoir que ta résurrection suscite un peu partout dans le pays.

— Un espoir fondé sur le mensonge.

— Il n'en demeure pas moins que désormais, grâce à ce mensonge, notre peuple se sent plus fort, moins oublié. L'homme que tu es approuverait-il ces cultes impies qui prospèrent sur la terre d'Abraham ? À quelques stades du Saint des Saints, peux-tu tolérer la présence d'un lieu de culte dédié à Esculape ? Notre peuple doit-il continuer à vivre à l'ombre des statues grecques, romaines, de ces étendards, ces effigies, ces théâtres qui sont autant d'injures à la face d'Élohim ? La plaie n'est-elle pas l'occupant qui foule notre sol sacré ? Notre terre ne devrait-elle pas recouvrer sa liberté ?

— Certainement. Toutefois…

— Par conséquent, l'occupant doit partir ! En vérité, si nos yeux sont obscurcis, c'est que la montagne de Sion est ravagée et que des renards s'y promènent. Une fois les renards partis, nos yeux se dessilleront et s'ouvriront à la lumière. Nous redeviendrons ce sel que tu évoquais tout à l'heure. Mais pour atteindre cet idéal, l'occupant doit partir. Ton rôle pourrait être déterminant.

— Alors que je suis enfermé ici ? Exilé de tout ? Comment ?

— En accomplissant ton devoir : partir afin de permettre à l'espérance de croître. Jour après jour, elle se transformera en une formidable force qui gagnera jusqu'au moindre grain de sable du désert, et un matin viendra où ce ne sera pas seulement une minorité qui prendra les armes contre les renards, mais le peuple d'Israël tout entier. Ils seront sans crainte, ils seront des lions, car ils ont vu le Messie et celui-ci leur a annoncé l'avènement prochain de la Jérusalem céleste, le royaume de l'Éternel. Il m'a été rapporté que tu aurais même déclaré un jour : « Je ne suis pas venu apporter la paix, mais l'épée. » Alors, sors cette épée de son fourreau.

Caïphas s'interrompt et dévisage Jésus comme pour quêter une approbation.

– As-tu conscience de ce que tu proposes ? Je…

– Non ! Attends ! Ne réponds pas tout de suite. Je t'implore de réfléchir. Réfléchis, fils de Marie. Réfléchis. Laisse l'esprit faire son travail. Je t'en conjure, réfléchis.

Et sans accorder à Jésus le temps de répliquer, il enchaîne :

– Il se fait tard. Je dois te quitter à présent.

– Un instant, Caïphas ! Pourquoi m'a-t-on amené ici ?

Le prêtre adopte une moue désolée.

– Pour te protéger contre toi-même. En te confiant à cette servante, tu t'es mis en danger et tu as mis en péril ton rêve.

– Yakira ? Qu'avez-vous fait d'elle ?

– Rassure-toi. Elle va bien. Nous l'avons congédiée, c'est tout.

– Et mes écrits ? Où sont-ils ?

– Si tel est ton souhait, ils te seront restitués.

Le grand prêtre se dirige vers la porte. Il l'entrouvre. Se ravise et pivote vers Jésus.

– N'oublie pas : si nos yeux sont obscurcis, c'est que la montagne de Sion est ravagée et que des renards s'y promènent…

13

Césarée. Résidence de Pilate. 14 du mois de yyar.

Malgré les épaisses tentures qui masquent l'entrée de la terrasse, une lumière crue éclaire les quatre osselets couleur ivoire que Pilate vient de lancer en l'air. Avant qu'ils ne retombent, il récupère avec une dextérité surprenante l'osselet rouge posé sur le plateau et, tout aussi promptement, le lance à son tour, récupère l'un des osselets qui viennent de choir, le garde dans sa main et saisit l'osselet rouge, in extremis.

— Tu es trop fort, commente Claudia. Je ne gagnerai jamais à ce jeu.

— Tu n'y es pour rien, ma chère. C'est affaire de lucidité. Sans vouloir te vexer, il s'agit d'une qualité plutôt rare chez les femmes.

L'épouse du préfet lui décoche un regard dénué d'expression. Ses pensées sont ailleurs. Elle n'a pas dormi de la nuit, puisant dans l'insomnie le courage de confier sa requête à son mari. Maintenant. Après, il sera peut-être trop tard. Alors elle se décide :

– Est-ce vrai ce qu'on raconte ? Il serait question de transférer les prisonniers à Jérusalem, à la forteresse Antonia ?

– C'est bien mon intention, en effet. La forteresse est un lieu sûr. Je n'ai aucune envie de voir les complices de ces brigands tenter un coup de force ici, contre ma résidence. Pourquoi cette question ?

Claudia inspire profondément.

– Parce que j'ai une faveur à te demander.

– Je t'écoute.

– La mère de deux des prisonniers a sollicité la permission de leur rendre visite avant qu'ils ne soient envoyés à Jérusalem.

– Sollicité ? Auprès de qui ? Aucune requête ne m'a été transmise.

– Cette femme s'est adressée à moi.

– À toi ?

Le front du préfet s'empourpre.

– À toi ?

– N'y vois aucune offense. C'est une amie. C'est…

– Son nom ?

– Salomé de Zébédée.

D'un geste, Pilate renverse le plateau et pousse un cri de dépit.

– Tu continues donc à fréquenter ces loqueteux ! Des trublions, des gens qui cherchent ma perte ! C'est inacceptable ! Comment oses-tu ?

– Tu te trompes ! Il s'agit d'une affaire de femmes. Ce n'est pas un agitateur qui a fait appel à moi, mais une mère. Je n'ai jamais côtoyé les disciples du Nazaréen. Jamais !

– Bien sûr ! Mais leurs épouses, leurs mères, leurs putains, oui !

Il se lève, arpente la pièce à longues foulées et se lance dans un monologue fait d'injures et d'imprécations.

Claudia ne bronche pas. Elle connaît bien les emportements de son époux et y est habituée. Dans ses accès de colère, elle l'a déjà vu fouetter un esclave, le jeter par terre et le piétiner. Ces colères ne l'ont jamais effrayée. Sans doute parce que, la plupart du temps, la fureur cède aussi vite qu'elle a jailli pour faire place à une sorte d'abattement.

Lentement, elle quitte le lit sur lequel elle était allongée et se dirige vers les tentures, qu'elle écarte. Avec la violence d'un fauve trop longtemps tenu captif, le soleil se rue dans la chambre et envahit chaque recoin.

– Que fais-tu ? peste Pilate. Ne fait-il pas suffisamment chaud ?

– J'ai besoin d'air.

Nonchalamment, la femme traverse la terrasse agrémentée de statues et de mosaïques polychromes et va jusqu'au parapet qui surplombe la vallée. Pilate lui emboîte le pas.

– Pourquoi ? Pourquoi me trahis-tu ?

Elle se retourne, étonnée.

– Te trahir ? Parce que je suis sensible au chagrin d'une mère ?

– Tu le fus à l'égard du Galiléen. Ne vois-tu pas dans quelle situation tu me places vis-à-vis de ces gens ? Le préfet de Rome cherche à imposer l'ordre dans ce pays qui n'est que désordre, et son épouse pactise ! N'est-ce pas insensé ? Imagine un seul instant que tes sympathies parviennent aux oreilles du légat de Syrie. As-tu songé aux conséquences ?

Un sourire tranquille éclaire les lèvres de Claudia.

– Mon ami, tu es dans l'erreur. Ton épouse ne pactise pas. Ce n'est pas parce que j'ai été émue par le Nazaréen que je suis acquise à la cause de son entourage. Je n'ai nullement envie de voir ce pays à feu et à sang. Je sais trop bien que nous serions les premiers à en pâtir. Non, je cherche au contraire à te venir en aide.

Pilate lui jette un regard surpris.

– Oui, reprend Claudia, réfléchis. Jésus est vivant. Tu cherches à le retrouver, mais pour l'heure tes démarches sont vaines. Les agents que tu as envoyés à travers la Judée et la Galilée reviennent bredouilles. Les espions d'Hérode ne font guère mieux. Tu as fait arrêter les disciples qui refusent de parler. Conclusion : tu vis sur un volcan et tu ne sais toujours pas à quel moment il vomira sa lave.

– Question de temps. La Palestine n'est qu'un village. Un homme ne peut s'y terrer indéfiniment.

– Un temps précieux.

– Je l'admets.

– Je me propose donc d'essayer de l'abréger. Seule cette femme, Salomé, peut avoir une chance de recueillir auprès de ses fils l'information que tu recherches : l'endroit où se cache le Nazaréen. À elle, ils ne mentiront pas.

– Mettons que tu aies raison, pourquoi te confierait-elle ce qu'elle aura appris ?

– Elle ne me confiera rien.

– Je ne comprends plus.

– Je serai au côté de Salomé lorsqu'elle parlera à ses fils.

Le préfet laisse échapper un petit rire.

– Serais-tu assez naïve pour croire qu'ils révéleront quoi

206

que ce soit en la présence de l'épouse du représentant de Rome ?

– Je suis l'amie de leur mère. Je l'ai prouvé à plusieurs reprises. Elle a donc une confiance absolue en moi. Et puis…

Claudia marque une courte pause avant d'annoncer :

– Je lui ai fait une promesse en ton nom.

Pilate reste sans voix.

– Oui. Je lui ai fait le serment que tu autoriserais Jésus à quitter librement le pays. Sain et sauf.

Le Romain dévisage sa femme avec une expression dont on ne saurait déceler s'il s'agit de surprise, de méfiance ou d'admiration.

– C'est extraordinaire, murmure-t-il. Je te savais fantasque, mais pas insensée. As-tu conscience de la gravité de ta démarche ? Promettre en mon nom ?

Claudia braque sur son époux un regard empreint d'ironie.

– Mon ami, ce n'est pas à un préfet de Rome que j'apprendrai que les promesses sont faites par la tête. Le cœur n'est pas concerné.

*

Quelque part en Judée, même jour.

« Une fois les renards partis, nos yeux se dessilleront et s'ouvriront à la lumière. Nous redeviendrons ce sel que tu évoquais tout à l'heure. Mais pour atteindre cet idéal, l'occupant doit partir. Tu peux y contribuer. Ton rôle pourrait être déterminant. »

Les propos de Caïphas livrent bataille dans la tête du fils de l'homme. Où est la vérité, Seigneur ? Libérer la terre d'Abraham, ne serait-ce pas une noble cause ? Car, en vérité, comment est-elle assise, la cité de David ? Elle ressemble à une veuve. Celle qui était une capitale parmi les nations, princesse parmi les provinces, a été rendue tributaire. Elle pleure, elle pleure durant la nuit, et ses larmes roulent sur ses joues. De tous ses amants, pas un ne la console.

Caïphas lui a cité les propos tenus à Simon-Pierre : « Je ne suis pas venu apporter la paix, mais l'épée. » Mais la nuit de son arrestation, lorsque le disciple a tranché l'oreille du milicien du Temple, ne s'est-il pas écrié : « Remets ton épée à sa place, car tous ceux qui prendront l'épée périront par l'épée » ? Il est vrai qu'il ne s'agissait pas du même combat, ni de la même épée. La première, céleste, devait trancher dans les traditions vieillies et séculaires, rompre avec le passé et la Loi corrompue, fendre le cœur des hommes pour y laisser entrer la lumière ; l'autre était une épée terrestre, juste capable de verser le sang. Non. Il ne s'agissait pas de la même épée. Et cela, Caïphas ne pouvait le savoir.

L'œil un peu las se pose sur les papyrus que les soldats lui ont rendus. Le godet est à nouveau rempli d'encre.

« À quoi te sert d'écrire ? Pour qui ? » s'est étonné Nicodème.

Et s'il avait raison ?

À quoi bon ? Pour qui ? Si demain on venait à le tuer, il ne fait aucun doute que ses meurtriers ne manqueraient pas de jeter ces écrits au feu. Il n'en resterait rien. À quoi bon ?

Peut-être pour hurler sans bruit. Mettre en garde ceux qui lui succéderont. Écrire pour rester en éveil.

Oui, c'est cela. Rester en éveil.

Jésus récupère son roseau. Examine la pointe un moment avant de la tremper dans le godet. Il relit le dernier passage écrit :

> Faisant le vide autour de lui, le misérable vint se prosterner devant moi. La peau tuméfiée, couverte d'ulcères et de crevasses, des yeux creux, des oreilles énormes au lobule pendant. Il était effrayant à regarder. Il m'implora :
> – Seigneur, si tu le veux, tu peux me rendre pur.

Et la main reprend sa course sur le papyrus :

> Le rendre pur ? Par quel pouvoir ? Moi, le fils de Marie, le faiseur de jougs et de charrues. Par quel pouvoir ? La Loi ne prescrit-elle pas : « Tout lépreux portera ses vêtements déchirés et aura la tête nue ; il se couvrira la barbe et criera : Impur ! Impur ! » ?
> Je me suis souvenu alors de l'histoire de Naaman racontée dans le Livre des Rois. Il avait été le chef de l'armée du roi de Syrie et jouissait de la faveur de son maître. Mais cet homme vaillant était lépreux. Or les Syriens détenaient captive une petite fille du pays d'Israël, qui était au service de la femme de Naaman. La fillette dit à sa maîtresse : « Oh ! si mon seigneur était auprès du prophète qui est à Samarie, le prophète le guérirait de sa lèpre ! » Naaman alla rapporter ces propos à son maître, qui lui suggéra de se rendre en

Samarie, porteur de ces mots pour le roi d'Israël :
« Quand cette lettre te sera parvenue, tu sauras que je
t'envoie Naaman, mon serviteur, afin que tu le guérisses de sa lèpre. » Sitôt qu'il eut pris connaissance de
ce message, le roi d'Israël déchira ses vêtements en
s'exclamant : « Suis-je un dieu, pour faire mourir et
pour faire vivre, qu'il s'adresse à moi afin que je guérisse un homme de sa lèpre ? » Apprenant cela, le
prophète Élisée envoya dire au roi : « Pourquoi as-tu
déchiré tes vêtements ? Laisse-le venir à moi et il saura
qu'il y a un prophète en Israël. » Le roi obtempéra.
Naaman arriva avec ses chevaux et son char devant la
porte de l'homme de Dieu. Celui-ci lui fit dire par
un messager : « Va, et lave-toi sept fois dans le Jourdain ; ta chair deviendra saine, et tu seras pur. » Naaman se récria : « Les fleuves de Damas ne valent-ils
pas mieux que toutes les eaux d'Israël ? Ne pourrais-je
pas m'y laver et devenir pur ? » Il s'apprêtait à repartir,
furieux et frustré, lorsque ses serviteurs l'implorèrent :
« Si le prophète t'avait demandé quelque chose de
difficile, ne l'aurais-tu pas fait ? Combien plus dois-tu
faire ce qu'il t'a dit ! »

Alors, à contrecœur, Naaman accepta de suivre les
conseils d'Élisée. Il se rendit au Jourdain, s'y plongea
sept fois, et sa chair redevint comme la chair d'un
jeune enfant. Le jour même, il retourna vers l'homme
de Dieu, se présenta devant lui et déclara : « Je reconnais qu'il n'y a point de Dieu sur toute la terre, si ce
n'est en Israël. »

Et voici que maintenant venait à moi un lépreux
et moi je n'entendais que les mots criés par le roi :
« Suis-je un dieu, pour faire mourir et pour faire vivre,

qu'il s'adresse à moi afin que je guérisse un homme de sa lèpre ? »

Mais l'homme continuait de me supplier :

– Seigneur, si tu le veux, tu peux me rendre pur.

J'ai tendu une main tremblante et j'ai imploré mon Père afin que mon sang devienne le Jourdain. J'ai murmuré :

– Je le veux, sois pur.

Aussitôt, l'homme fut purifié.

Était-ce donc cela, croire ? Des journées de doute pour que naisse un instant d'espérance, absolue et définitive ?

Sur le moment, je me sentis submergé par un torrent affolé.

– Garde-toi, répétai-je à l'homme, garde-toi de rien dire à personne !

J'avais donné ces mêmes recommandations à Jaïrus et à son épouse lorsque j'avais arraché leur enfant au sommeil. Et aussi à mes disciples, le jour où, les interrogeant pour savoir ce que l'on disait de moi, Simon avait déclaré impétueusement : « Tu es le Messie ! » Je réitérai ma mise en garde à Bethsaïde, le jour où un aveugle recouvra la vision après que j'eus couvert ses paupières de ma salive. Combien de fois ai-je tenté de tempérer l'enthousiasme de mon entourage !

Mais ce lépreux, s'en étant allé, s'est mis à raconter partout sa guérison, de sorte qu'il m'est devenu impossible d'entrer publiquement dans une ville sans que viennent à moi les malades, tous les miséreux et les impotents. C'est ainsi que, la plupart du temps, j'ai été contraint de demeurer à l'orée des cités ou dans des lieux déserts. Et, malgré cela, les affligés ont continué d'affluer de toutes parts.

Insensiblement, à mesure que croissait ma renommée, grandissait aussi la méfiance des prêtres à mon égard. Quand ? À quel moment jugeraient-ils que je représentais un réel danger ? Ce serait à moi de le décider. Moi seul choisirais l'heure où le fils de l'homme serait livré aux sacrificateurs.

C'est un matin du mois de tammouz* que la terrible nouvelle m'est parvenue. Depuis quelques semaines déjà je m'étais retiré vers la mer, suivi par une multitude venue de tous les coins du pays, même des environs de Tyr et de Sidon. Afin de ne pas être pressé par la foule, j'avais demandé à Simon-Pierre de garder sa barque près du rivage. Je m'apprêtais à y monter lorsque, tout à coup, Nathanaël se précipita vers nous. Il avait le teint blême.

– Rabbi, s'écria-t-il en tombant à mes pieds, rabbi. Ton cousin Yohanane est mort !

Yohanane mort…

Je n'ignorais pas que, depuis quelques mois, il végétait sur ordre d'Hérode dans une cellule de la funeste forteresse de Machéronte, aux confins du pays. Longtemps, j'avais espéré que le renard finirait par lui rendre sa liberté. Je me refusais de croire au pire. Et le pire était arrivé : le jour de l'anniversaire du tétrarque, sur une requête de la fille d'Hérodiade, cette femme impure, on avait décapité Yohanane et exposé sa tête sur un plateau.

Yohanane, mon frère, mon ami, mon maître.

---

* Juin-juillet.

Bouleversé, je m'adressai à la foule rassemblée :

– En vérité, parmi ceux qui sont nés de femmes, il n'en a point paru de plus grand que Yohanane le baptiseur ! Depuis son temps jusqu'à présent, le royaume des cieux est forcé, et ce sont les violents qui s'en s'emparent. Car tous les prophètes et la Loi ont prophétisé jusqu'à Yohanane. Et si vous voulez le comprendre, c'est lui, lui qui est l'Élie qui devait venir ! Lui ! Que celui qui a des oreilles pour entendre entende. À qui comparerai-je votre génération ? Elle ressemble à des enfants assis dans des places publiques et qui, s'adressant à d'autres enfants déclarent : « Nous vous avons joué de la flûte, et vous n'avez pas dansé ; nous avons chanté des complaintes, et vous ne vous êtes pas lamentés. » Yohanane est venu, ne mangeant ni ne buvant, et ils l'ont accusé d'être habité par le démon ! Moi je suis venu, mangeant et buvant, et ils vocifèrent : « C'est un mangeur et un buveur. »

Emporté par une bourrasque de chagrin, je levai le poing au ciel.

– Malheur à toi, Chorazin ! Malheur à toi, Bethsaïde ! Car, si les miracles qui ont été faits au milieu de vous avaient été faits à Tyr ou Sidon, il y a longtemps que ces villes se seraient repenties. Au jour du Jugement, Tyr et Sidon seront traitées moins rigoureusement que vous. Et toi, Capharnaüm, seras-tu élevée jusqu'au ciel ? Non. Tu seras abaissée jusqu'au séjour des morts ! Car, si les miracles qui ont été faits au milieu de toi avaient été faits dans Sodome, elle subsisterait encore aujourd'hui. C'est pourquoi au jour du Jugement, le pays de Sodome sera traité moins rigoureusement que toi ! Souvenez-vous ! Gravez ces mots dans vos mémoires : Je suis venu jeter le feu sur la terre !

J'étais brisé.

Moi qui avais honni les malédictions, voilà que je maudissais à mon tour.

Je me laissai choir dans la barque de Simon et lui ordonnai de nous emporter loin des rives. Loin de tout. La mort de Yohanane m'a tourmenté pendant des jours et des jours. Je l'entendais, le voyais partout. Je le tenais dans mes bras et berçais contre mon cœur sa tête ensanglantée.

Lorsque, deux jours plus tard, nous regagnâmes le rivage, celui-ci était désert. Nous avons pris le sentier des falaises. Arrivés tout en haut, un groupe d'individus nous attendaient, armés de pierres et grognant comme des bêtes. Ce n'était pas la première fois que mes adversaires cherchaient à me tuer. Cela s'était déjà produit peu de temps auparavant, alors que je m'étais interposé pour sauver la jeune fille accusée d'adultère. Ce jour-là, leur fureur avait été décuplée lorsque j'avais osé leur jeter à leur face : « En vérité, en vérité, je vous le dis, avant qu'Abraham fût, je suis ! »

Le groupe avançait vers moi. À l'évidence, il cherchait à me pousser dans le vide. J'aurais pu laisser faire. Mais ma mission n'était pas encore achevée. J'acceptai donc que mes disciples me servent de bouclier et m'éloignai.

Jour après jour, les critiques proférées par la classe sacerdotale se faisaient plus incisives. Je me trouvais à Bethsaïde lorsque des lévites et des scribes me prirent à nouveau à partie. Ils me reprochèrent de ne pas respecter les rituels de pureté, de partager ma table avec des péagers et des prostitués, et, plus grave encore à leurs yeux, de ne pas me préoccuper des lois de *basar be-halav*, liées à la consommation de la nourriture. Je laissai éclater ma colère :

– Hommes sans intelligence ! Ne comprenez-vous pas que rien de ce qui entre dans l'homme ne peut le souiller ? Car ce qu'il mange ne pénètre pas dans son cœur, mais dans son ventre, puis s'en va dans les lieux secrets, qui purifient tous les aliments ! Comment vous convaincre que c'est uniquement dans le cœur des hommes que naissent les mauvaises pensées, les adultères, les impudicités, les meurtres, les vols, les cupidités, les méchancetés, la fraude, le dérèglement, le regard envieux, la calomnie, l'orgueil, la folie ! Comment vous le faire comprendre ?

Et comme ils continuaient de m'injurier et de me traiter d'impie et de blasphémateur, je poursuivis :

– Malheur à vous, scribes et pharisiens hypocrites ! Vous nettoyez le dehors de la coupe et du plat, mais au-dedans ils sont pleins de rapine et d'intempérance ! Malheur à vous, scribes et pharisiens ! Vous ressemblez à des sépulcres blanchis, qui paraissent beaux par-dehors, mais qui, au-dedans, sont remplis d'ossements de morts et de toute impureté. Au-dehors vous paraissez justes aux hommes, mais au-dedans vous êtes pleins d'hypocrisie et d'iniquité. Serpents ! race de vipères ! comment pourrez-vous échapper au jugement de la géhenne ?

J'essayai de tempérer mes propos par cette recommandation :

– Ce que j'ai vu chez mon Père, je le transmets.

L'un des scribes répliqua en me défiant du regard :

– Nous, nous ne sommes pas des bâtards ! Nous n'avons qu'un seul Père, Dieu !

J'avais saisi l'allusion. Elle me pénétra comme un poignard. Je fis observer :

– Si Dieu était votre Père, vous m'aimeriez ; car c'est de Dieu que je suis issu et que je viens ; car je ne suis pas venu de moi-même, mais c'est lui qui m'a envoyé…

Cette fois, ils répondirent par le silence. Jamais silence ne fut plus lourd de menaces.

Vers la fin du mois de av*, je me suis rendu en secret dans le territoire de Tyr et de Sidon avec en mémoire les mots du prophète Ézéchiel : « Et toi, fils de l'homme, prononce sur Tyr une complainte. Tu diras à Tyr : Ô toi qui es assise au bord de la mer, ceux qui t'ont bâtie t'ont rendue parfaite en beauté. »

La ville est située à l'extrémité d'une presqu'île, sur un promontoire rocheux. Une multitude de lieux de culte se dressent face à la mer, parmi lesquels un temple dédié à Melkart, ce dieu phénicien qui figure sur la monnaie des changeurs à Jérusalem. Un parent de Nathanaël s'était proposé de nous accueillir dans sa demeure où j'espérais trouver un peu de répit. La parenthèse aura été de courte durée. À peine quelques jours plus tard, une femme dont la fille était possédée d'un esprit impur eut vent de ma présence. C'était une Cananéenne. Elle m'a supplié de l'assister. J'ai refusé catégoriquement.

Simon-Pierre et les autres l'ont refoulée sans ménagement.

---

* Juillet-août.

– Dehors, femme ! Il n'est venu que pour les enfants d'Israël !

Moi-même je me suis entendu surenchérir par cette phrase terrible :

– Il n'est pas bon de vouloir arracher le pain de la bouche des enfants pour le donner aux chiens !

Dès que j'eus prononcé ces mots, je pris conscience de tout le poids des traditions passées dont je croyais pourtant m'être débarrassé. Un frisson glacial m'envahit. Selon la Loi, parce que cette femme n'était pas fille d'Israël, elle était considérée comme irrémédiablement impure. Ce n'était pas son corps, mais son âme qui était lépreuse.

Devant une telle humiliation, elle aurait dû fuir, cracher son venin. Au lieu de quoi, elle me répondit d'une voix tranquille :

– Tu as raison, Seigneur, mais même les chiens se contentent des miettes qui tombent de la table de leurs maîtres. Je ne demande pas davantage.

Je sentis le sol se dérober sous moi et me fis le serment de ne plus jamais permettre que remontent à mes lèvres les mots anciens. N'avais-je pas promis d'ouvrir grandes les quatre portes de l'Orient, de l'Occident, du Sud et du Nord ?

Plus jamais.

Il m'a été rapporté que, lorsqu'elle est rentrée chez elle, elle a trouvé l'enfant guéri.

En cette période de mon existence, j'étais envahi par des questionnements. Non pas à propos de la mission dont m'avait chargé mon Père, mais à l'égard de mes disciples. Comprenaient-ils vraiment la teneur de mon message et le but que je m'étais assigné ?

217

Pierre, le premier, paraissait si tourmenté depuis le jour où je l'avais traité de Satan.

Mon désarroi ne fit que croître et mes doutes se confirmer lorsque, sur le chemin de retour, je les entendis discuter âprement. Je gardai le silence. Ce n'est qu'une fois arrivés à l'entrée de Baram que je leur demandai :

— De quoi parliez-vous tout ce temps ?

Ils ne répondirent pas et baissèrent les yeux, gênés.

Ni Thomas, ni Judas, ni Barthélemy, pas un seul n'eut le courage de m'avouer ce que je savais déjà : ils avaient débattu pour savoir lequel d'entre eux était le plus grand.

Que faire ? Je me suis approché d'eux, je les ai dévisagés en silence et j'ai murmuré :

— Sachez que si quelqu'un veut être le premier, il sera le dernier de tous et le serviteur de tous.

J'espérais qu'ils avaient perçu le sens de ces mots. Hélas, quelques semaines plus tard, alors que nous partagions un repas dans la maison de Jacques et de Jean, les deux frères Zébédée, les fils du tonnerre, voilà qu'à ma grande surprise, leur mère vint se prosterner devant moi.

— Maître, me dit-elle, j'aimerais que tu m'accordes une faveur.

— Que veux-tu ?

— Ordonne que mes deux fils soient assis, dans ton royaume, l'un à ta droite et l'autre à ta gauche.

Ainsi, rien n'y faisait.

J'eus une pensée pour Yohanane. Comme lui, j'eus l'impression de n'être guère plus qu'une voix qui crie dans le désert. Refrénant mon exaspération, je répondis :

– Vous ne savez pas ce que vous me demandez. Être assis à ma droite ou à ma gauche ne dépend pas de moi. Écoutez-moi bien. Vous voulez être des chefs. Mais ceux que l'on regarde comme les chefs des nations ne sont que des tyrans. Je vous le répète : quiconque veut être grand parmi vous, qu'il soit votre serviteur ; quiconque veut être le premier parmi vous, qu'il soit l'esclave de tous. Car le fils de l'homme est venu, non pour être servi, mais pour servir et donner sa vie comme la rançon de plusieurs.

Un brouhaha s'ensuivit. Indigné par l'intervention de la femme, le groupe prit Jacques et Jean à partie.

Découragé, je me levai. J'avais besoin de retrouver le souffle du Père. Les lézards, les oiseaux, les arbres, les oliviers, les vignes et le soleil. Tout le poids du salut ou de la perdition reposait donc sur les épaules fragiles de l'homme ? J'eus envie de crier.

*

Jérusalem. La nuit. Palais du grand prêtre. Le 16 du mois de yyar.

Aucune brise n'est arrivée avec le crépuscule. Pas un souffle. Enfoncé dans son siège, Hanan agite nerveusement son éventail. On étouffe, pense-t-il. Comment l'or s'est-il terni, comment s'est-il altéré ? Comment les pierres sacrées ont-elles été semées au coin de toutes les rues d'où ne monte aucun bruit ? Dans la lumière blafarde diffusée par les lampes à huile, il croit entrevoir les fantômes d'Élie, Samuel, Ézéchiel, Jérémie, Osée, Joël, Amos, toute la tribu des pères d'Israël. Où sont-ils ? *Rabbouni,* où sont-ils ? Les prophètes ne devraient-ils pas vivre toujours ?

Un bruit de pas le ramène brutalement à ses angoisses terrestres. C'est Caïphas.

— Alors ? s'exclame Hanan. Tu l'as vu ?

— Non. J'ai donné ordre qu'on nous l'amène.

— J'admire ta maîtrise.

— Je pensais qu'il était préférable que nous soyons deux à l'examiner.

— Où l'ont-ils arrêté ?

— Chez lui. À Jéricho. Il n'a opposé aucune résistance.

Le vieillard fait une moue méprisante.

— Comme ses compagnons. D'après Pilate, ils se sont livrés d'eux-mêmes, aussi dociles qu'un troupeau de porcs.

Caïphas approuve distraitement et s'assied près de son beau-père.

— Je présume que le Galiléen n'a pas changé d'avis.

Dans la voix de Hanan, on sent bien que c'est plus une affirmation qu'une question.

— Pas encore. Mais il vacille. Je suis persuadé qu'il a été profondément troublé par ma visite. Comment aurait-il pu imaginer me revoir, moi, là, devant lui, humble, plus humble que la plus misérable des créatures, implorant son pardon ?

— Et il t'a cru ?

— Sans aucun doute. À un homme exalté ne faut-il pas un mensonge exaltant ?

Le grand prêtre s'interrompt, comme si une pensée plus forte que les autres venait de surgir.

— Jamais le Galiléen ne m'est apparu aussi menaçant que lors de cette rencontre. Nous avons bien fait de l'éliminer.

L'éventail de Hanan s'immobilise.

— Explique-toi.

— Pour mieux lui soutirer sa miséricorde, je lui ai rappelé une phrase qui m'a été rapportée. Il aurait déclaré : « Si quelqu'un te frappe sur la joue droite, présente-lui aussi l'autre. » Contre toute attente, il m'a immédiatement corrigé en m'expliquant que ces mots ne signifiaient pas la soumission, mais le dédain face à l'agresseur. J'ai trouvé cela terrifiant. Comment ne pas se garder d'un individu capable d'un raisonnement aussi retors ?

— Retors et bâtard ! Sais-tu que sa mère a forniqué avec un légionnaire originaire de Sidon, du nom de Ben Pantera[12] ?

Caïphas écarquille les yeux.

— Eh oui ! Au bout de vingt-cinq ans de bons et loyaux services au sein de la cohorte *Sagittarium*, cet individu a acquis la citoyenneté romaine et changé son nom en Tiberius Julius Pantera. La cohorte en question est restée ici pendant plusieurs années avant d'être mutée je ne sais où. Bâtard, donc ! Mais aussi, je l'admets, d'une très grande habileté. Car il a bien compris que les marches qui conduisent au pouvoir ne sont pas taillées dans la pierre, mais dans la crédulité du peuple. Qu'a-t-il fait durant ses pérégrinations ? À qui s'est-il adressé ? Quelle fraction de la

---

12. Voir p. 295.

population a-t-il cherché à séduire ? Les miséreux, les impurs, les infirmes, les moins que rien, la lie du monde. En résumé, tous ceux qui nous détestent. Comprends-tu maintenant pourquoi il est urgent que nous mettions un point final à cette affaire ? Il est hors de question que cet homme recouvre sa liberté ou qu'il demeure ici. Au risque de me répéter, sache que je ne partage pas ton choix, ni celui de Nicodème, ni celui des autres. Le but que nous poursuivons n'est-il pas atteint ? N'avons-nous pas obtenu ce que nous souhaitions ? Le fleuve est en marche. Rien ne pourra plus l'arrêter. Alors, pourquoi garder en vie le Galiléen ? Pourquoi prendre le risque de voir notre plan anéanti ?

Caïphas adopte un air ennuyé.

– Tu as sans doute raison sur le fond. Mais nous ne pouvons devenir des meurtriers aux yeux de l'Éternel. Tu le sais : « Tu ne tueras point. »

– Je te rappelle tout de même tes propos : « Il est dans votre intérêt qu'un seul homme meure pour le peuple, et que la nation entière ne périsse pas. »

– C'est exact. Mais...

Un mouvement sur le seuil interrompt le grand prêtre. Il se retourne.

Accompagné par deux gardiens porteurs de torches, Thomas le Jumeau pénètre dans la salle.

– Approche ! ordonne Caïphas.

Le disciple obtempère.

– Plus près !

Le grand prêtre se penche sur les traits du prisonnier.

Guère longtemps. Il se retourne vers Hanan. Les deux hommes se concertent du regard.

– Aucune ressemblance, souffle Caïphas.

– Aucune, confirme Hanan.

Le découragement se lit sur la figure du grand prêtre. Avec une certaine lassitude, il pose à nouveau son regard sur Thomas.

– Tu faisais bien partie des adeptes du Galiléen ?

– Oui.

– D'où te vient ce surnom ?

– Quel surnom ?

– Thomas signifie bien « jumeau » ?

– En araméen, mais pas en grec.

– Tu n'es pas grec !

– Non. Mais ma famille vient d'Asie mineure, du bourg de Didyme, au sud d'Éphèse. Je présume que c'est de là que me vient mon nom. Le *Didymien*.

– Rendez-lui sa liberté, grommelle Caïphas. Qu'il s'en aille !

Une fois les soldats repartis, Hanan se lève. Il fait quelques pas et revient vers son gendre.

– Et maintenant ?

Caïphas secoue la tête.

– Je ne sais pas.

– Nicodème et Joseph certifient que notre homme n'a jamais quitté sa prison. Et nous n'avons aucune raison de mettre leur parole en doute. Dans le même temps, les espions d'Hérode affirment l'avoir vu sur les rives du lac. Que se passe-t-il, Caïphas ?

Le grand prêtre lève les bras et les laisse retomber avec lassitude.

– Écoute-moi attentivement, reprend Hanan. Il est temps de mettre un terme à cette affaire. Je ne sais pas ce qui se cache derrière ces mystérieuses apparitions, mais il est urgent que l'épée qui oscille sur nos têtes réintègre son fourreau. J'ai toujours estimé que garder cet homme en vie représentait des risques incommensurables. Sous prétexte que donner la mort est interdit par la Loi de Moïse, nous nous sommes engagés dans une voie qui nous mène tout droit aux abysses. Trêve d'hypocrisie, mon frère ! N'est-ce pas notre tribunal qui a condamné à la peine capitale cet agitateur ? Alors, si cela peut soulager ta conscience, accordons à ce même tribunal le droit de se prononcer à nouveau. Nos membres doivent être mis au courant de la situation. Il faut en finir ! Tu m'entends ? En finir !

Caïphas bafouille :

– Tu veux dire que…

– … c'est au Sanhédrin de décider ! Il s'est prononcé une première fois. Il récidivera. Lui seul jugera si Jésus doit mourir ou non.

Lèvres tremblantes, le vieillard pointe son index vers son gendre.

– Sache qu'il est des moments où les scrupules ne sont que des vermines. Ils ne sont là que pour ronger l'accomplissement de l'essentiel.

14

Césarée. Le 18 du mois de yyar.

Malgré la présence des torches, le corridor est parsemé de taches de ténèbres. Un geôlier ouvre la marche, une lampe à la main. Claudia Procula et Salomé de Zébédée lui emboîtent le pas. Cette dernière a apporté un panier garni de victuailles : du pain, du fromage doux, des fruits. Pas un bruit, si ce n'est le chuintement des gouttes d'humidité qui, par intermittence, glissent le long des murs.

– C'est ici, annonce le geôlier en s'arrêtant devant une porte. Nous avons été forcés de les répartir dans deux cellules.

Tout en parlant, il introduit une clef dans une serrure rouge de rouille. Le verrou grince.

– Ils sont à vous.

Et il confie la lampe à Claudia.

Les deux femmes s'engagent sur le seuil et tentent de mettre un nom sur les silhouettes fantomatiques.

– *Ima !* s'écrie une voix.

Un homme a bondi vers Salomé.

– *Ima !* Que fais-tu ici ?

– Jacques, mon fils !

– Comment as-tu…

Découvrant la présence de l'épouse de Pilate, il s'interrompt net.

– C'est une amie, le rassure Salomé. J'ai pu arriver ici grâce à elle.

– Claudia ? s'exclame Simon-Pierre.

– C'est bien Claudia, confirme Matthieu Lévi.

Les deux disciples s'approchent, imités par l'ensemble des occupants de la cellule.

– La paix sur toi, Pierre, murmure Claudia.

– La paix sur toi.

Il se tourne vers les autres.

– Pour ceux d'entre vous qui l'ignorent, notre sœur fait partie de nos plus généreuses bienfaitrices.

– Où est André ? s'inquiète Salomé. Le geôlier m'a affirmé qu'il serait ici. Il ne lui est rien arrivé ?

– Non, mère, il va bien. Ils l'ont enfermé avec les autres.

Salomé confie le panier de victuailles à son fils.

– Tiens. C'est pour vous.

– Savez-vous pourquoi nous sommes ici ? questionne Barthélemy. D'où vient cette soudaine hargne du préfet à notre encontre ?

L'épouse de Pilate secoue la tête avec affliction.

– Lui et Hérode se croient victimes d'un complot. Tous deux pensent que Jésus est vivant et qu'il s'apprête à fomenter des troubles.

– C'est absurde ! Notre Seigneur nous a quittés depuis près d'un mois maintenant. Et quand bien même il serait encore de ce monde, jamais il ne prêcherait la violence. Leurs appréhensions sont ridicules.

— Quand vous est-il apparu pour la dernière fois ? interroge Salomé. Vous vous en souvenez certainement.

— Bien sûr, répond Simon-Pierre. Une dizaine de jours après sa résurrection, nous rentrions de la pêche. Le maître se tenait sur le rivage. Ayant constaté que nous n'avions rien rapporté, il nous a suggéré de tenter notre chance à la droite de notre barque. Nous l'avons fait. Et quand nous avons ramené nos filets, ils étaient si lourds que nous avons craint qu'ils ne rompent. Ensuite, nous avons partagé du poisson et nous avons parlé. Je m'en souviens très clairement parce que, ce jour-là, le rabbi m'a demandé à trois reprises si je l'aimais.

— Qui parmi vous était présent ?

— Je ne sais plus. Il me semble qu'il y avait Thomas.

— J'y étais aussi, dit Jacques, ainsi qu'André.

— Moi aussi, précise Nathanaël, et je crois me souvenir qu'il y avait également Thaddée.

— Pourquoi cette question ?

— Ce jour-là, révèle Claudia, vous n'étiez pas les seuls sur le rivage. Deux agents d'Hérode étaient sur vos traces et ils ont assisté à toute la scène. Ce qui explique l'affolement de mon époux, car jusque-là il était convaincu que la nouvelle de la résurrection n'était que bavardages.

— Ainsi, Pilate pense réellement que Jésus est toujours parmi nous ?

— Il pense surtout qu'il n'est jamais ressuscité, pour la bonne raison qu'il ne serait pas mort et que vous savez où il se cache, précise Salomé

— Quelle folie !

— Il y a plus ennuyeux encore, ajoute Salomé. Regarde ceci...

Elle tend un carré de papyrus à Simon-Pierre. Celui-ci lit à voix haute :

— « Si quelqu'un vous dit : Jésus est ici, ou il est là, ne le croyez pas. Car il s'élèvera de faux Jésus et de faux prophètes. Heureux ceux qui n'ont pas vu, et qui ont cru. »

Le disciple lève des yeux interloqués.

— Qui a écrit cela ?

— C'est précisément la question que nous nous posons. Le maître a-t-il jamais prononcé ces mots ?

Tous acquiescent.

— Il a même ajouté, dit Matthieu : « Car de faux Christ et de faux prophètes s'élèveront, et feront de grands signes et des prodiges, au point de séduire, si possible, les élus mêmes. »

— Oui, c'est exact, confirme Simon-Pierre. Ce jour-là, nous avions traversé la vallée du Cédron et nous nous trouvions sur le mont des Oliviers. Il a désigné le Temple et déclaré : « Voyez-vous tout cela ? Il ne restera pas ici pierre sur pierre qui ne soit renversée. »

— Mais pourquoi a-t-il jugé utile cette mise en garde ? questionne Claudia.

— Nous lui avions demandé de nous indiquer quels seraient les signes annonciateurs de la fin des temps.

Un silence se fait, à peine troublé par le crépitement des torches.

— À tout hasard, demande Claudia, l'un d'entre vous

serait-il capable d'authentifier l'écriture ? Se pourrait-il que ce soit celle du maître ?

Les disciples se concertent, désorientés.

— Impossible, répond Jacques de Zébédée. Tout le temps qu'il était avec nous, jamais nous ne l'avons vu écrire quoi que ce soit.

— Si ! Une fois, rectifie Matthieu Lévi. Une seule. Quand il défendait une jeune femme accusée d'adultère. Les prêtres venaient de l'interroger sur le sort que la Loi réservait à ce genre de transgression. Le rabbi n'a pas tout de suite répondu. Il s'est agenouillé sur le sable et a écrit quelque chose avec son index.

— Tu as raison, acquiesce Jacques. Mais nous étions trop éloignés pour lire quoi que ce soit.

— Évidemment. Seulement moi, après l'incident et lorsque tout le monde se dispersait, je suis allé voir. J'étais trop intrigué par le geste. J'avoue que la curiosité me brûlait.

Chacun retient son souffle. Il annonce :

— « Lorsque des deux vous ferez un. »

— « Lorsque des deux vous ferez un ? » répète Salomé. Qu'est-ce que cela signifie ?

— Je n'ai pas osé lui poser la question, soupire le publicain.

Et se tournant vers ses compagnons, il demande :

— L'un d'entre vous saurait-il ?

Une expression désolée drape les visages.

— De toute façon, continue Matthieu, je serais absolument incapable d'établir un rapprochement avec cette écriture et celle que j'ai vue. À moins que…

Il se tait brusquement et demande à Pierre :

— Peux-tu me montrer le message ?

Pierre s'exécute. Le publicain se plonge un moment dans l'examen du papyrus avant de déclarer :

— Il y a peut-être quelque chose. Toutefois, je m'empresse de vous dire que je ne suis pas du tout certain de ce que je vais avancer.

Il pose son index sur le papyrus.

— Voyez cette lettre : ‡*. Elle contient la même étrangeté que j'avais notée en lisant les mots du maître ce jour-là : deux barres horizontales, alors qu'il en faut trois. Sur le moment, j'avais mis cette erreur sur la difficulté d'écrire avec précision sur le sable. Mais ici, ce n'est pas le cas. La même singularité se répète à trois reprises dans le message.

— As-tu conscience de ce que tu suggères ? s'interpose Simon-Pierre. Si tu as raison, cela signifierait que c'est bien Jésus qui est l'auteur de ce message ! Pilate n'aurait pas tort. Notre maître serait donc ici ? En Palestine ?

Le collecteur d'impôts lève la main en signe de protestation.

— Tu vas trop vite. J'ai bien précisé que je n'avais aucune certitude. Juste une impression.

— Une impression…, observe Barthélemy. Mais bien déconcertante. D'autant que me revient tout à coup une phrase que le rabbi a prononcée lors de notre dernier repas. Il a dit : « Encore un peu de temps, et vous ne me verrez plus, et puis encore un peu de temps, et vous me verrez, parce que je vais au Père. » Sur le moment, aucun de nous n'a compris ce que ces mots signifiaient. Un peu de temps… Ce *peu de temps* ne se serait-il pas écoulé ?

---

* Un *s* dans l'alphabet araméen.

Personne n'ose un commentaire. Alors Barthélemy insiste :

– Je me pose une autre question : comment expliquez-vous qu'une personne étrangère à notre groupe ait pu avoir connaissance des propos tenus par notre maître ? Ce jour-là, sur le mont, il n'y avait que nous. Alors ?

Un rire nerveux secoue Jacques.

– Alors il ne reste qu'une seule explication. Ce message serait l'œuvre de l'un d'entre nous.

Un brouhaha fait suite à sa déclaration.

– Calmez-vous ! Calmez-vous, tonne Simon-Pierre.

Il croise les bras sur sa poitrine, attend le retour du silence, puis annonce d'une voix tendue :

– Je n'ai retenu qu'une seule chose de notre discussion qui me paraît bien plus déterminante qu'une éventuelle similitude graphique. En effet, personne d'autre que nous ne pouvait être au courant de l'avertissement de Jésus. Et puis, Barthélemy, tu n'es pas le seul à te souvenir des propos du Seigneur. Moi aussi j'ai souvenance d'une prédiction qui revêt aujourd'hui tout son sens : « En vérité, je vous le dis, il y a quelques-uns de ceux qui sont ici présents, qui ne goûteront point la mort qu'ils n'aient vu le fils de l'homme venant en son règne. » Comment ne pas en déduire que le retour du maître aurait été plus imminent que nous ne l'avons cru ?

Il prend une courte inspiration et ajoute :

– Voilà que s'éveille en moi une terrible inquiétude et le cœur me serre. Si, pour des raisons qui nous échappent, le maître est demeuré en Palestine, alors, nous avons pour

231

devoir de nous rendre auprès de lui sans perdre un seul instant.

– Tu as raison, reconnaît Jacques. Mais comment faire ? Nous sommes enfermés. Et même si nous étions libres de nos mouvements, où le retrouver ?

Simon-Pierre s'est déjà tourné vers l'épouse du préfet.

– Claudia, ma sœur, il faut que tu nous aides. Je t'en conjure.

– Si je le puis. Qu'attends-tu de moi ?

– Que tu convainques ton époux de nous rendre notre liberté.

– Pierre ! Je n'ai pas ce pouvoir ! Je...

– Détrompe-toi. Tu l'as.

La femme lui lance un regard interrogateur.

– Il te suffira d'expliquer à Pilate que nous savons où se trouve Jésus. Qu'il ne sert à rien de nous garder prisonniers. Aucun de nous ne parlera. En revanche, s'il nous laisse libres, nous pourrions le mener jusqu'au maître.

– Le mener jusqu'au maître ? s'affole Matthieu. Aurais-tu perdu la tête ?

En guise de réponse, Pierre murmure d'une voix lointaine :

– N'aie crainte, mon frère. Lorsque les routes sont interdites, il reste les sentiers.

*

Quelque part en Judée, même jour.

La flamme de la lampe tremble et jette des éclairs sur le visage du fils de l'homme penché à sa table.

Celui qui croit en moi croit non pas en moi, mais en Celui qui m'a envoyé. Celui qui me voit voit Celui qui m'a envoyé.

Tout ce temps, je n'ai cherché à accomplir que les volontés du Père. Le Père en moi et moi en Lui.

Tourbillons, fracas, tempêtes, doutes et certitudes déchirés dans mon cœur et dans ma tête. La vérité, Adonaï, la vérité que l'on croit tenir et qui nous échappe comme l'eau du dévaleur à travers nos doigts. Le fils de l'homme sera livré entre les mains des hommes, et ils le mettront à mort ; et il ressuscitera après trois jours. Que s'est-il passé ? C'était pourtant Tes propres mots énoncés par ma voix. Tes mots, *âba*, tes mots, mon Père. Que s'est-il passé pour que je sois encore du monde des hommes ? Me serais-je donc fourvoyé à ce point ? Lazare dormait, la fille de Jaïrus dormait. Les éclopés n'étaient pas éclopés. Les possédés n'étaient possédés que dans leur propre imagination. Les aveugles ont toujours vu. C'était moi, l'aveuglé.

Je dois annoncer la bonne nouvelle du royaume de Dieu, car c'est pour cela que j'ai été envoyé.

Oui. Et pour cela, je me suis fait argile, modeste poignée d'argile, docile, façonnée entre Ses mains.

Il ressuscitera après trois jours…

C'était une certitude. Il me l'avait affirmé. Pas une fois. Cent fois.

Ne vois-tu pas que ta vie est toute de songes ? Quand en feras-tu une réalité ?

Mère, il me souvient de ce jour où, devant la synagogue de Capharnaüm, tu m'as fait ce reproche. Pourtant, n'ai-je pas accompli ce pour quoi j'avais été désigné ? Où ai-je failli et quand ? Dans mes fuites ? dans mes dérobades ? Il est vrai que j'ai fui plus d'une fois.

D'abord, à la sortie du Temple, après avoir apostrophé les prêtres : « Vous me connaissez, et vous savez d'où je suis ! Je ne suis pas venu de moi-même ! » Ils s'étaient rués sur moi. Je leur ai échappé. Ensuite, ce jour où des voix approbatrices ont retenti au sein de la foule qui m'entourait. Certains disant même : « Le Messie, quand il viendra, fera-t-il plus de miracles que n'en a fait celui-ci ? » Ayant eu vent de ces commentaires, les sacrificateurs et les pharisiens m'ont envoyé leurs huissiers pour qu'ils se saisissent de moi. J'ai fui.

Plus tard, il y a eu cette soirée d'hiver, à Jérusalem, au lendemain de la fête de la Dédicace. Furieux de me voir enseigner, mes adversaires ont cherché à me lapider. Je tentais de leur faire entendre raison : « Je vous ai fait voir plusieurs bonnes œuvres venant de mon Père, alors, pour laquelle me lapidez-vous ? » En vain. J'ai dû m'écarter et me réfugier dans la pénombre d'un lacis de ruelles. Et cette autre fois, où ils ont voulu me précipiter du sommet d'une falaise…

Elle est peut-être là, mon indignité. Peut-être aurais-je dû faire face et me laisser abattre ? Mais ça aurait été aller à l'encontre de la voix qui me soufflait : « Pas encore. Ton heure n'est pas venue. Pas encore. »

Il y a eu aussi ce matin où mes frères, hormis Jacques, m'ont défié. La fête des Tabernacles était proche. Ils m'ont interpellé alors que je sortais de la synagogue de Capharnaüm. Ils n'étaient pas venus seuls. Marie les accompagnait. Thomas venait de m'avertir de leur présence.

— Ta mère et tes frères sont là. Ils cherchent à te parler.

J'ai eu cette réponse que d'aucuns ont jugée sévère, et qui pourtant n'aurait pu être différente :

— Qui est ma mère ? Qui sont mes frères ?

Et, désignant mes disciples, j'ai ajouté :

— Ma mère et mes frères, les voici. Car celui qui fait la volonté de mon Père céleste, celui-là est pour moi un frère, une sœur, une mère. Le fils de l'homme appartient au monde. Le fils de l'homme appartient à la chevelure des astres.

Alors, Jude, le plus acariâtre de mes frères, s'est frayé un passage parmi la foule et m'a lancé avec mépris :

— On te voit dans toute la Galilée. Tibériade, Cana, Bethsaïde, Magdala, Chorazin, on raconte même que tu serais allé dans le territoire de Tyr et Sidon et, mais nous n'osons y croire, en Samarie. Alors, pourquoi as-tu si peur de te rendre en Judée ? Pars donc, afin que là-bas aussi on voie les prodiges que tu fais. Personne n'agit en secret, lorsqu'il est sûr de lui : si tu es celui que tu dis, alors montre-toi au monde !

Il me défiait car il savait que le cœur du péril se trouvait à Jérusalem. J'ai gardé mon calme.

— Mon temps n'est pas encore venu, mais votre temps est toujours prêt. Vous, le monde ne peut vous haïr ; moi, il me hait, parce que je témoigne que ses œuvres sont mauvaises. Montez, vous, à cette fête ; pour moi, je n'y monte point, parce que mon temps n'est pas encore accompli.

Ils m'ont lancé un regard lourd de rancœur et se

sont retirés en se gaussant. Ils ne surent jamais que je me suis rendu quand même en Judée. Mais en secret.

Où ai-je failli ? Et quand ?

Aurais-je franchi des lignes interdites sans le savoir ? Jude avait mentionné mon passage en Samarie. Oui. Il n'avait pas eu tort. En cette terre, honnie de tous, mon âme se serait-elle égarée irrémédiablement ?

Pourtant cette femme, croisée ce matin de kislev au puits de Jacob, cette Samaritaine, représentait elle aussi, à mes yeux, une étincelle de l'Éternel. Elle ne pouvait être exilée à cause de ses origines. Nous avions quitté les pierres de la Judée pour entrer dans les terres blanches de Samarie. L'hiver était là. La terre grelottait. Seuls les oliviers et les dattiers avaient conservé leur parure. J'étais rompu de fatigue et j'avais soif. Judas m'avait jeté un manteau de laine sur les épaules.

Bientôt, nous sommes arrivés à l'orée du bourg de Sichem, au pied du mont Garizim. Le mont sacré des gens de Samarie, non loin de l'endroit où, d'après les Écritures, Jacob acheta une portion de champ, dressa sa tente et érigea un autel qu'il appela *El-Elohé-Israël*.

Je m'assis au bord du puits. Judas fit de même. Les autres étaient partis en quête de vivres. Nous n'avions rien pour puiser. C'était environ la sixième heure. Alors je la vis qui venait vers nous, une outre à la main. Grande, longiligne, cheveux masqués par un fichu, des yeux en amande. Sa démarche était noble, elle n'avait pas quarante ans. Je reçus en plein cœur ce visage à la fois enfantin et tourmenté.

Quand elle fut près de nous, je la sollicitai :

– Nous avons soif. Nous donnerais-tu à boire ?

Elle plissait le front. Elle avait reconnu dans ma voix l'accent des Galiléens.

– Comment toi, qui es juif, me demandes-tu à boire, à moi qui suis une Samaritaine ? Une impure à vos yeux ?

Judas cracha par terre.

– Femme ! Respecte celui à qui tu t'adresses !

Se penchant à mon oreille, il me conseilla :

– Partons vite d'ici, rabbi.

Je secouai la tête et répliquai à la Samaritaine :

– Si tu savais quel don l'Éternel aimerait t'accorder, si tu savais qui est celui qui te demande à boire, alors c'est toi qui aurais demandé à boire et il t'aurait donné de l'eau vive.

Elle se mit à rire.

– Voilà qui est étonnant. Non seulement le puits est profond, mais tu n'as même pas de seau ! D'où tirerais-tu donc ton eau vive ? Tu ne vas tout de même pas te prétendre plus grand que notre ancêtre Jacob, auquel nous devons ce puits, et qui a bu lui-même de son eau ainsi que ses enfants et ses troupeaux ?

Judas revint à la charge :

– Partons, maître…, partons.

J'ignorai son insistance.

– Tu as raison, déclarai-je à la femme. Mais celui qui boit de l'eau de ce puits ne sera jamais désaltéré. Tandis que celui qui boira de mon eau n'aura plus jamais soif. Bien plus encore : l'eau que je lui donnerai deviendra en lui une source intarissable qui jaillira jusque dans la vie éternelle.

Elle parut troublée.

– Alors, donne-moi de cette eau-là, pour que je

n'aie plus soif et n'aie plus besoin de revenir puiser ici.

— Je le ferai. Mais avant, va chercher ton mari.

— C'est impossible ! Je ne suis pas mariée.

Je souris.

— Tu dis vrai. Toutefois, par le passé, tu l'as été cinq fois, et l'homme avec lequel tu vis actuellement n'est pas ton mari.

Elle avait vacillé et laissé tomber son outre à terre.

— Puisque tu sembles lire dans les cœurs et dans les esprits, alors, réponds-moi : qui a raison ?

Elle désignait le temple qui se dressait sur la crête du mont Garizim.

— Nos ancêtres ont adoré Dieu sur cette montagne. Vous autres, Juifs, vous affirmez que nous blasphémons et que l'endroit où l'on doit adorer, c'est Jérusalem. Qui a raison ?

Je la fixai longuement avant de répliquer :

— Peu importe Garizim ou Sion ! Ce ne sont que des tas de pierres. Le jour est proche, l'heure vient où il ne sera plus question de cette montagne ni de Jérusalem, ni d'aucun lieu privilégié pour adorer le Père.

J'ajoutai, provocateur :

— Vous adorez ce que vous ne connaissez pas ; nous, nous adorons ce que nous connaissons, car le salut vient du peuple juif.

Elle eut un sourire ironique.

— Je reconnais bien là votre orgueil.

Je fis mine de n'avoir pas entendu et répétai :

— Crois-moi, l'heure vient, elle est là, où ce ne sera ni sur cette montagne ni à Jérusalem que vous adorerez le Père.

Elle hocha la tête, dubitative, déconcertée sans doute par ce que je lui avais révélé des secrets de sa vie, et repartit vers le village.

Judas se tourna aussitôt vers moi et s'enquit d'un ton enfiévré :

– Rabbi, serait-ce vrai ? L'heure est-elle vraiment proche ?

– Oui, mon frère. Et c'est toi qui en orientes l'ombre sur le cadran…

15

Résidence de Pilate, à Césarée. Le 18 du mois de yyar.

Le visage congestionné de dépit, Hérode a du mal à trouver ses mots. Pilate, lui, semble moins troublé. Voilà un moment déjà que le tétrarque déverse son fiel à l'encontre des gens du Sanhédrin et le flot ne paraît pas près de se tarir :

– Le Galiléen a eu bien raison de les traiter de serpents et de sépulcres blanchis ! Que sur eux tombe l'abomination de la désolation ! Ne sont-ils pas des têtes à abattre ?

En guise de réponse, le préfet tend une coupe de raisins secs à son hôte.

– Tiens. Ils viennent de Corinthe. Ils sont excellents. Quand je pense qu'il fut un temps où pour deux jarres de ces fruits on pouvait acquérir un jeune esclave ! Hélas, cette époque est révolue. Pour ce qui est des prêtres, en effet, je ne peux que te donner raison. Toutefois, je crains que les abattre ne change rien ; ils seraient aussi vite remplacés.

– Tu vas donc laisser faire…

– Que je sache, ils n'ont commis aucun acte répréhensible ni à mon égard ni à l'égard de Rome. Alors ?

– L'arrestation de ce disciple, cet homme qu'on appelle le Jumeau, ne prouve-t-elle pas que le Sanhédrin est impliqué dans l'affaire du Galiléen ?

– Comment ne le serait-il pas ? As-tu oublié que j'en ai moi-même informé Nicodème et Joseph d'Arimathie ? D'ailleurs, si je me réfère au rapport de tes espions, ils voulaient seulement vérifier si le disciple en question n'était pas un jumeau de Jésus. Démarche astucieuse au demeurant, car, le cas échéant, l'énigme eût été résolue.

Pilate prend un air réprobateur et conclut :

– Non, vraiment, je ne comprends pas ton irritation.

– C'est que mon inquiétude grandit et perturbe mon sommeil. À ce jour, aucun de nos agents, ni les tiens ni les miens, n'a trouvé trace du Galiléen. C'est à croire que l'homme ne fait plus qu'un avec les sables et les collines.

– Je t'avais prévenu : rien ne ressemble plus à un Juif qu'un autre Juif. Sans oublier que le signalement que nous avons communiqué à nos éclaireurs est plutôt mince. Quoi qu'il en soit, je reste optimiste.

– Optimiste ?

L'ébauche d'un sourire apparaît au coin des lèvres du préfet.

– À l'heure où nous parlons, ses disciples sont en route. Ils vont nous mener au Galiléen.

Hérode reste bouche bée.

– Tu les as libérés ?

– Parfaitement. Figure-toi que, dans un mouvement d'apparente générosité, j'ai autorisé la mère de deux prisonniers à leur rendre visite. L'occasion était trop belle. J'avais chargé mon épouse de me rapporter tout ce qui se dirait lors de cette rencontre. Nous avions vu juste. Notre homme est aussi vivant que toi et moi et ses disciples sont déterminés à le retrouver. Je leur fais confiance. Ils réussiront là où nous avons échoué.

– Majestueux ! s'exclame le tétrarque. Je reconnais la finesse romaine.

Pilate est à deux doigts de rétorquer que la finesse romaine ne sera jamais à la hauteur de la fourberie hérodienne, mais se maîtrise pour répondre :

– Venant de toi, le compliment n'a que plus de valeur. Es-tu soulagé à présent ?

– Certes. Mais mon soulagement sera total le jour où cet agitateur sera appréhendé et renvoyé, pour de bon cette fois, au pays des morts.

Il tend sa main vers la coupe.

– À présent, fais-moi goûter de ces raisins de Corinthe.

Alors que Pilate s'exécute, une ombre qui, tout ce temps, était demeurée tapie derrière la porte entrebâillée s'éloigne vers les profondeurs du corridor.

*

Jérusalem. Le 20 du mois de yyar.

Après avoir franchi les remparts par la porte de la Vallée, on entre dans la ville en remontant une rue à la pente si raide qu'on l'imagine sculptée dans d'invisibles marches. L'ancien palais d'Hérode se dresse sur la gauche. On pénètre sous un porche de cèdre. Une rampe tout au bout mène à une grande salle. C'est ici la *Lichkat ha-Gazit*, la chambre de la Pierre taillée ou Grande Cour de Justice. Ici que se réunissent depuis des décennies les soixante-dix sages chargés de légiférer sur les affaires religieuses et le rituel du Temple. Soixante-dix, parce qu'il est écrit : « Et Moïse sortit et rapporta au peuple les paroles de l'Éternel, et il assembla soixante-dix hommes des anciens du peuple et les fit tenir autour de la Tente. »

L'aube se lève au pied du mont du Temple, les maisons basses ont commencé à refléter les couleurs du ciel. C'est d'abord un rouge brun épais. Insensiblement, les teintes s'éclaircissent, se métamorphosent en un jaune doré, léger, éclatant.

Caïphas promène son regard sur l'assemblée installée sur les sièges qui forment un cercle sous la voûte nue. Il note que la majorité des deux tiers des seigneurs d'Israël est bien présente. Figures doctes, empreintes de componction. On a allumé des lampes malgré la lumière du jour.

Hanan, présent lui aussi, se tient à l'écart. Il fourrage nerveusement dans les replis de sa barbe.

– Mes frères, commence Caïphas, je vous rappelle les faits. Le 13 nisân, selon la volonté de cette noble assemblée, le Galiléen fut reconnu coupable de blasphème selon la Loi de Moïse et condamné à la peine capitale. Le droit de ce tribunal d'exécuter la sentence nous ayant été confisqué par l'occupant romain, nous avons été contraints de remettre le blasphémateur au préfet. Pilate, après certains atermoiements, a ratifié le verdict. Vers la sixième heure [13], le Galiléen fut conduit au mont du Crâne. Il y est arrivé une heure plus tard et a été mis en croix. Vers la neuvième heure, conformément au plan élaboré ici même, mon conseiller, Joseph d'Arimathie, et notre compagnon, Nicodème, obtinrent de Pilate de récupérer le corps et le placèrent dans le tombeau prévu à cet effet. Toujours conformément au plan prévu, nous avons posté deux hommes à notre solde devant la sépulture. Le lendemain, lorsque nos compagnons sont revenus sur les lieux, ils firent rouler la pierre avec l'aide de nos gardes pour constater à leur grand étonnement...

Le grand prêtre prend une brève inspiration avant de révéler :

– ... que le Galiléen était toujours vivant.

– Vivant ? s'écrie une voix affolée.

– Vivant ? reprend en écho son voisin.

Caïphas confirme :

– En souffrance, mais vivant. Manifestement, le coup de lance ne l'avait pas achevé. Dès lors, nous n'avons pas eu d'autre choix que de placer l'homme à l'abri dans un lieu tenu secret, connu seulement, pour les raisons de sécurité que vous supposez, de quatre personnes : mon beau-père Hanan, Joseph, Nicodème et moi-même. Comme nous l'envisagions, la découverte du tombeau vide s'est répandue comme un torrent parmi les adeptes du blasphémateur. Pour eux, il ne fait aucun doute que leur chef est ressuscité. Ensuite – là aussi il nous faut rendre grâce à

---

13. Voir p. 295.

l'Éternel –, les sots ont agi au-delà de nos espérances les plus folles en proclamant que le Galiléen leur était apparu ici et là, confortant ainsi l'idée que l'homme était bien le Messie.

Un murmure satisfait parcourt l'assemblée. Caïphas l'apaise d'un geste.

– En conclusion, hormis le fait imprévu que le Galiléen n'a pas trépassé sur la croix, tout s'est déroulé comme nous l'avions envisagé.

Il ajoute en baissant les yeux :

– Jusqu'ici...

Les expressions se tendent.

– Jusqu'ici, enchaîne le grand prêtre, car un événement curieux s'est produit. Nous pensions au départ que les apparitions du Galiléen n'étaient qu'invention de ses disciples, fables sorties de leurs esprits. Et puis nous est parvenue une information qui a remis en question cette croyance : le Galiléen a été aperçu un matin sur les berges du lac de Génésareth par des personnes étrangères au groupe d'agitateurs. Très précisément, par des espions à la solde du tétrarque.

Un nouveau frémissement, mais cette fois d'incrédulité, parcourt le cercle.

– Or il nous a été confirmé qu'à aucun moment le Galiléen n'avait pu s'évader de son lieu de détention. Pas un seul instant. D'ailleurs, il s'y trouve toujours.

– Absurde ! proteste une voix. Les espions se sont certainement trompés.

– Difficile à croire. Ils étaient à quelques pas de

l'homme. Ils avaient eu l'occasion de l'apercevoir le matin où Hérode l'avait interrogé. Il ne leur était pas inconnu.

– Quelqu'un qui lui ressemble alors ! suggère l'un des prêtres avec agacement.

– Cette hypothèse nous a traversé l'esprit. Nous avons même cru que ce quelqu'un avait pu être l'un de ses disciples surnommé : « le Jumeau ». Nous sommes confrontés à présent à un risque que nous ne pouvons nous permettre de courir.

Il marque une pause, comme s'il cherchait ses mots, puis :

– « Tu ne tueras point », exige la Loi. Respectueux de celle-ci, nous n'avons pas souhaité ôter la vie au Galiléen. Nous lui avons offert une alternative : quitter le pays ou passer le restant de son existence cloîtré. À tous les arguments que nous avons déployés en faveur de l'exil, il a opposé une fin de non-recevoir. J'ai moi-même essayé de lui faire entendre raison. J'ai échoué. Hélas, si j'ai parlé de risques, c'est parce que, aujourd'hui, de nouveaux éléments sont apparus. Pilate a décidé, pour des raisons que nous ignorons, de libérer les disciples qu'il avait pourtant fait emprisonner.

Une main se lève.

– Le préfet serait donc au courant de toute l'affaire ?

– Partiellement. Hérode l'a informé du rapport de ses espions. Les deux hommes ont dû parvenir à la même conclusion : le Nazaréen vivant, il n'est pas impossible qu'il décide de se lancer dans une nouvelle campagne d'agitation, et même qu'il soulève le peuple et fasse trembler sur ses bases le double pouvoir. Il y a deux jours, l'un de nos agents infiltrés à Césarée a surpris une conversation qui s'est déroulée entre Pilate et le tétrarque. Je lui laisse la parole...

Caïphas pivote vers un coin de la salle et ordonne :

– Approche, Mattatia !

Une silhouette surgie des ténèbres se faufile entre les sièges et vient se ranger à la droite du grand prêtre. C'est un petit homme trapu, front bas, barbe courte, les yeux enchâssés dans des cercles de rides et surmontés d'épais sourcils grisonnants.

En quelques mots, il livre à l'assistance le récit de l'intervention de l'épouse du préfet, et conclut en citant les mots de Pilate : « À l'heure où nous parlons, ses disciples sont en route. Ils vont nous mener au Galiléen. »

La salle est pétrifiée.

Caïphas invite l'homme à regagner sa place, s'apprête à reprendre la parole, mais il est interrompu par Hanan :

– Un instant !

Le vieillard s'est levé. La démarche claudicante, il se déplace jusqu'au centre du cercle.

– Mes frères, si je m'autorise à intervenir, c'est que l'heure est grave. En semant dans l'esprit des adeptes du Galiléen l'idée que celui-ci est toujours vivant, le préfet a mis en marche un processus qui nous place tous au bord d'un abîme. Car vous imaginez bien désormais qu'ils vont remuer ciel et terre. Ils ne cesseront de fouiller qu'une fois leur chef retrouvé. Tôt ou tard, n'en doutez pas, leurs recherches finiront par aboutir. C'est pourquoi je vous le dis : l'heure est grave.

Hanan prend une courte inspiration et poursuit d'un ton plus ferme :

— Tu ne tueras point, vient de rappeler mon gendre. J'y ajouterai les recommandations du Lévitique : « Tu ne prononceras point de sentence inique, et tu ne feras point mourir l'innocent et le juste. » Or je vous pose la question : ici même, il y a quelque temps, en ce lieu, avons-nous jugé le Nazaréen innocent et juste ?

Un grondement désapprobateur s'élève :

— Coupable !

— Dans ces conditions, je demande à cette sainte assemblée de trancher une fois encore tout en prenant à mon compte la déclaration exprimée un jour par notre frère Caïphas : « Il est de votre intérêt qu'un seul homme meure pour le peuple, plutôt que toute la nation périsse ! »

Les sages échangent quelques regards en coin. On y lit que la cause est entendue.

— Je réclame la parole !

Hanan réprime un grognement. Caïphas fronce les sourcils. Les sages cherchent des yeux celui qui vient de les apostropher.

— Qu'y a-t-il, Nicodème ?

— Magnanimité. Soyons magnanimes.

— Magnanimes ? s'étonne l'un des prêtres. Ne l'avons-nous pas été en offrant au blasphémateur la possibilité de conserver la vie ?

— Oui. Et l'Éternel en est témoin.

— Alors ? Qu'exiges-tu de plus ?

— « Je ferai passer devant toi toute ma bonté, et je proclamerai devant toi le nom de l'Éternel. Je fais grâce à qui

je fais grâce, et miséricorde à qui je fais miséricorde. »
Accordons-lui trois jours de sursis. Trois jours. Montrons-
nous plus grands que le pécheur, plus noble que l'agresseur,
plus pur que les purs. Prouvons à celui qui n'a cessé de
nous reprocher la dureté de nos lois que la miséricorde y
est inscrite, celle d'un Dieu qui ne se lasse pas de pardonner.
Démontrons au Galiléen que le Dieu d'Abraham est aussi
Dieu d'amour.

Hanan a du mal à cacher sa consternation.

Caïphas joint les mains nerveusement.

Les sages se consultent à voix basse.

– Notre frère a raison, risque un vieux pharisien. Adonaï
ne se lasse pas de pardonner.

– Amen, répond en chœur l'assemblée.

– Je vois, déclare Hanan à contrecœur. On ne pourra
pas nous reprocher d'avoir manqué de patience.

Il se tourne vers Nicodème et conclut :

– Trois jours.

*

Bersabée. Le 21 du mois de yyar.

Les traits poussiéreux, Simon-Pierre et Philippe ont
arrêté leur charrette sur la place du marché où, pêle-mêle,
sur des tréteaux boiteux, dans des paniers d'osier, s'empi-
lent fromages, fruits, miel, poissons et autres denrées.

Les deux disciples mettent pied à terre et, comme s'ils
attendaient quelqu'un ou quelque chose, promènent leur
regard sur le décor. Au loin, glissant vers le sud, vers l'Idu-

mée, une caravane louvoie dans des effluves de bouse et des tourbillons de poussière.

– Et maintenant ? s'inquiète Philippe. Comment identifier un jeune homme parmi cent dans cette pagaille ?

– Salomé nous a bien dit qu'il s'appelle Yalone et que sa mère a été tuée ici, à Bersabée. Il ne doit pas exister cent jeunes gens qui portent le même nom. Va de ton côté, je vais du mien.

Ils se séparent.

Le vent s'est levé, qui chasse les rares nuages.

Trois silhouettes s'agitent derrière un sycomore. On pourrait les prendre pour des marchands, s'il ne se dégageait de leur physionomie cette expression attentive qui n'appartient qu'aux sentinelles de la forteresse Antonia.

– Que fait-on ? demande l'un des hommes.

– Rien. On attend.

*

Au même instant, quelque part en Judée.

Jésus raye un mot, médite et reprend :

La nuit était là. Les autres sommeillaient, allongés sur des nattes que des habitants de Sichem, intrigués par les propos que leur avait rapportés la Samaritaine, avaient souhaité mettre à notre disposition. Nous avions allumé un feu qui jetait ses lueurs tremblantes vers le ciel.

Judas ne dormait pas. Je ne dormais pas non plus.

Il saisit une branche morte et tisonna. Sa figure brillait comme du fer rouge.

– Maître, questionna-t-il doucement, pourquoi as-tu déclaré après le départ de la Samaritaine : « L'heure est proche et c'est toi qui en orientes l'ombre sur le cadran » ?

Je ne répondis pas.

Il reposa la question.

J'éludai encore.

– T'ai-je jamais confié que, quelque temps après ma naissance, trois astrologues venus de Babylonie déposèrent des présents au pied de mon berceau ?

Il fit non de la tête.

– De la myrrhe, de l'encens et des pièces d'or. Sais-tu ce qu'ils représentent ?

Il répondit une nouvelle fois par la négative.

– Je n'en savais rien non plus, jusqu'au jour où un vieux Nabatéen m'en a expliqué le sens : l'encens, c'est la fumée, celle des résines incorruptibles chargées d'élever la prière jusqu'au ciel. Ce sont les épousailles de l'homme et de la divinité. L'or est le métal royal. Il ne se rouille ni ne se souille. Quant à la myrrhe…

– Oui ?

– La myrrhe est le symbole de la mort, mais c'est aussi celui du sacerdoce. C'est avec de l'huile de myrrhe que l'Éternel demanda à Moïse d'oindre l'Arche d'Alliance.

– La divinité, la royauté et la mort, note Judas. Dans lequel de ces trois miroirs te reconnais-tu ?

– Toi…, réponds-moi plutôt. Où me vois-tu ?

– Je te vois roi et divin. Je vois le sacerdoce. Mais pas la mort : la vie éternelle.

Je souris.

– Judas, mon frère, ta foi est donc si grande ?

Je désignai le groupe endormi.

– Plus grande que la leur ? que celle de Simon ?

– Seul l'Éternel le sait. Je crois seulement que tu es le Messie, le fils de Dieu, et que tu vas accomplir les vœux d'Élohim, ainsi qu'il est écrit dans le livre d'Ézéchiel.

Sa voix baissa d'un ton et il récita comme on confie un secret :

– « Fils de l'homme, tourne ta face vers Jérusalem et parle contre les Lieux saints ! Prophétise contre le pays d'Israël. Tu annonceras au pays d'Israël : "Ainsi parle l'Éternel · Je tirerai mon épée de son fourreau, et j'exterminerai du milieu de toi le juste et le méchant. Et toute chair saura que moi, l'Éternel, j'ai tiré mon épée de son fourreau. Elle n'y rentrera plus." »

Il se tut et leva le front, fièrement.

– Tu vois. Je sais ce que les autres ignorent.

Saisissant ma main avec passion, il conclut :

– C'est pourquoi j'ai fait comme tu nous l'as ordonné : j'ai pris mon sac, ma bourse, j'ai vendu ma tunique pour m'acheter une épée. Elle est aiguisée, elle est polie [14].

Je restai silencieux. Il en profita pour reprendre son monologue :

– Oui, rabbi, je crois. Je crois que nous, qui t'avons suivi, serons également assis sur des trônes pour juger les douze tribus. Je crois que tu restaureras la royauté.

---

14. Voir p. 296.

Je crois que quiconque aura quitté, à cause de ton nom, ses frères, ou ses sœurs, ou son père, ou sa mère, ou sa femme, ou ses enfants, ou ses terres, ou ses maisons, recevra le centuple et héritera la vie éternelle. Car c'est bien le pacte que nous avons scellé ?

– Oublies-tu qu'avant que ces choses n'arrivent, j'ai indiqué aussi qu'il faudra que le fils de l'homme souffre beaucoup, que les chefs et les maîtres de la Loi le rejettent, qu'il soit mis à mort et, le troisième jour, qu'il revienne à la vie ?

– Bien sûr, rabbi. Mais celui qui ressuscite d'entre les morts n'est-il pas aussi maître de la vie ? Tu es la braise qui continuera de luire bien après la nuit des temps. Tu es le Sauveur.

Je l'observai longuement avant de lui faire remarquer :

– Ce n'est qu'après le feu que vient la braise. Pour que s'accomplisse tout ce que tu viens de rappeler, il te faudra donc être ce feu.

Je déposai un baiser sur son front, coupant à ses questions, et j'eus la vision de Jérusalem pareille à une montagne de crânes, de cèdres noirs, et celle d'un soleil qui ruisselait de sang.

Ainsi, l'enfant de Kerioth était l'élu. Mon Père lui avait accordé de ne comprendre que ce qu'il devait comprendre. Oui. Mais les autres ?

Il me souvient d'un jour d'hiver. Une douceur inattendue recouvrait le visage de la Galilée. Je venais de prier dans la synagogue. Une foule m'attendait au-dehors.

Quelques-uns se sont écriés sur un ton de reproche :

– Pourquoi es-tu venu ici ?

– Et vous ?

Un homme m'a interpellé :

– Pour que tu nous enseignes ce que nous devons faire pour accomplir les œuvres du Seigneur.

– Il vous suffit de croire en Celui qui m'a envoyé !

– Alors, fais donc des miracles, afin que nous croyions en toi. Nos pères ont mangé la manne dans le désert. L'Éternel leur a donné le pain du ciel à manger, et toi ?

J'ai répliqué :

– Vos pères ont mangé la manne dans le désert, et pourtant ils sont morts ! Moi, je suis le pain vivant ! Si quelqu'un mange de ce pain, il vivra éternellement, et le pain que j'offrirai, c'est ma chair pour la vie du monde.

Il s'est élevé aussitôt des cris d'horreur. Tous s'interrogeaient : « Comment peut-il nous donner sa chair à manger ? »

– Manger ta chair ? s'est exclamée une femme, les lèvres retroussées.

J'ai persisté :

– Oui. Celui qui mange ma chair et boit mon sang aura la vie éternelle. Car ma chair est vraiment une nourriture, et mon sang vraiment un breuvage. Celui qui mange ma chair et boit mon sang demeure en moi, et je demeure en lui.

Derrière mon dos, j'entendais aussi plusieurs de mes disciples réprouver mes propos :

– Ce langage est insupportable ! Qui peut continuer à l'écouter ?

– Nous prendrait-il pour des animaux ? Comment un homme pourrait-il se nourrir de l'homme ?

Je me suis retourné vivement.

– Je vois que cela vous scandalise.

Dès ce moment, les rangs se sont brisés, les brebis se sont dispersées. Parmi les soixante-dix, il n'en est plus resté qu'un petit nombre. J'ai compris que ceux qui partaient ne reviendraient plus jamais.

– Qu'attendez-vous pour les suivre ? ai-je demandé aux autres. Allez ! Pourquoi ne partez-vous pas ?

Le silence m'a répondu jusqu'à ce que Pierre, les traits brouillés, se jette à mes pieds.

– Partir ? Partir ? À qui irions-nous, rabbi ? À qui ?

Il était au bord des larmes.

– Nous, nous avons mis toute notre confiance en toi et nous savons que tu es le Saint, envoyé de Dieu.

Je l'ai fixé longuement avant d'annoncer :

– Maintenant, la nuit va venir…

– As-tu fini ? questionne Nicodème. La flamme vacille. Veux-tu que je demande que l'on renouvelle l'huile ?

Jésus pose son roseau.

– Non. Cela suffit pour aujourd'hui.

Le prêtre se verse du vin et en propose au fils de l'homme. Durant tout ce temps que Jésus écrivait, il a attendu, silencieux.

Il observe :

– Il ne nous reste plus beaucoup de temps.

– Deux jours. Je sais. C'est une curieuse coïncidence.

– Une coïncidence ?

– « Qu'ils soient prêts pour le troisième jour ; car le

troisième jour l'Éternel descendra, aux yeux de tout le peuple, sur la montagne de Sinaï. »

– Une coïncidence, en effet…

– Et cette fois, qui est Judas ?

Le prêtre ne sait que répondre.

– Pauvre Judas.

– Sais-tu qu'il s'est pendu ?

– Je l'ignorais. Semblable à Achitophel, le compagnon d'armes de David. Mais cela ne m'étonne guère : le chagrin peut conduire à de terribles errances.

– Sans doute.

– Car tu as bien compris les raisons de son acte ? Tu es d'ailleurs peut-être le seul. Il s'est confié à toi, n'est-ce pas ?

– Il est venu me voir, en effet.

– Parce qu'il te croyait proche de nous. Parce qu'il était présent le soir où secrètement tu es venu me rendre visite pour m'interroger et que je t'ai répondu : « Si un homme ne naît de nouveau, il ne peut voir le royaume de l'Éternel. » Il me souvient que ma réplique l'avait impressionné.

– C'est vrai. Il est même probable qu'il a conçu son projet ce soir-là.

– Un projet qui consistait à vous révéler quand et où vous pourriez m'arrêter sans provoquer de remous parmi la population.

– Oui.

– Continue. Que t'a-t-il confié encore ? Il t'a bien dévoilé les motifs qui le poussaient à me trahir ?

– Je ne sais plus… Il semblait dans un grand état d'excitation.

– L'essentiel.

— Les motifs ? Il n'y en avait qu'un : sa foi. L'immense, l'incommensurable foi qu'il avait en toi. Pour lui, il ne faisait aucun doute que tu étais le Messie. Il en était certainement plus convaincu que la plupart de tes disciples. Il croyait à l'avènement de ce royaume que tu n'as cessé d'annoncer. Seulement, son impatience le dévorait. Elle le consumait. Il était las d'attendre. Chaque jour un peu plus frustré de constater que tu n'agissais pas, que tu ne te décidais pas à déployer ta puissance divine. Et lui, tous les matins, scrutait l'horizon dans l'espoir d'y voir surgir les armées célestes. Alors...

— Alors, il a cherché à faire naître une aube qui ne venait pas...

Nicodème exhale un soupir.

— Son espérance en toi était si forte qu'en te faisant arrêter, il avait la certitude qu'entre la royauté et la déchéance, tu choisirais la royauté, ou que ton arrestation déclencherait au sein du peuple une révolte d'une si grande ampleur, qu'elle balayerait le sacerdoce et la pourpre sur son passage. La terre entière d'Israël se soulèverait pour empêcher que tu meures. Sa conviction, déjà profonde, fut décuplée lorsqu'il fut témoin de l'accueil que t'avait réservé la population de Jérusalem.

Jésus se prend le visage entre les mains.

Jérusalem...

Le dernier rendez-vous.

Le 9 du mois de nisân, il avait quitté Béthanie après avoir passé la nuit chez Marthe et Myriam. Avant de franchir les limites du village, il demanda à Matthieu et Barthélemy de quérir un ânon. Ce qu'ils firent. Une fois arrivé au sommet du mont des Oliviers, il aperçut la cité qui déroulait ses splendeurs à ses pieds et les remparts gorgés de lumière. Le spectacle le saisit à la gorge, si violemment que pour la seconde fois il sanglota. Posant un genou à terre, il s'écria : « Jérusalem ! Jérusalem ! Il viendra sur toi des jours où tes ennemis t'environneront de tranchées, t'enfermeront et te serreront de toutes parts. Ils te détruiront, toi et tes enfants au milieu de toi, et ils ne laisseront pas en toi pierre sur pierre, parce que tu n'as pas connu le temps où tu as été visitée ! » Ensuite, il entra dans la ville. Le bruit de son arrivée s'était répandu. Des Galiléens déployaient leurs vêtements sur sa route. Portant des palmes, des gens criaient : « Hosanna au fils de David ! Béni soit celui qui vient au nom du Seigneur ! » Il avait même cru entendre les mots de « roi d'Israël ». Les prêtres, attirés par le tumulte, accoururent : « Fais-les taire ! Fais-les taire ! » Il répliqua : « S'ils se taisent, alors ce seront les pierres qui crieront ! »

Judas, mon frère, homme de Kerioth, comment pouvais-tu douter un instant que parmi ces gens qui m'acclamaient, pas un ne lèverait la main pour retenir ma chute ?

Pauvre enfant…

Il a dû s'exprimer à voix haute, car Nicodème s'enquiert :

– Tu as bien dit, « pauvre enfant » ?

– Naïf comme tous les enfants. J'imagine sa souffrance, quand il n'a vu surgir ni l'armée des anges, ni celle des hommes. Il n'a pas supporté d'assister à la dévastation de son rêve, de voir le Sauveur humilié, bafoué, torturé. Enfant que j'ai maudit, alors que cette nuit-là je savais parfaitement où il allait et pour quelle raison.

– Tu l'as maudit ?

– Le dernier soir, alors que nous étions réunis avec les disciples dans une salle haute mise à notre disposition par un ami, j'ai annoncé que l'un d'entre eux me livrerait. Je savais que Judas était prêt. Affolés, ils se sont demandé de qui il s'agissait. Je n'étais pas assis au centre, mais sur la gauche comme il se doit[15]. Judas était à mes côtés. Quelqu'un, Jean je crois, insista pour que je révèle l'identité du traître. Alors, j'ai pris un morceau de pain et l'ai trempé. Sciemment ou non, Judas a fait de même, et j'ai déclaré : « Celui qui plonge avec **moi** sa main dans le plat. » Me tournant vers l'homme de Kerioth, je l'ai vu hésiter, alors je l'ai encouragé : « Ce que tu dois faire, fais-le vite. » Il était devenu indispensable qu'il aille au bout de ses certitudes, puisqu'elles épousaient les miennes. Dans l'instant, personne autour de nous n'a compris le message, ni pourquoi j'avais prononcé ces mots. La plupart ont pensé que, Judas étant notre trésorier, je lui avais ordonné d'aller acheter ce dont nous avions besoin pour la fête. Une fois qu'il s'en est allé, j'ai senti une pitié énorme m'envahir. J'ai serré le poing et j'ai murmuré : « Malheur à cet homme par qui le fils de l'homme est livré. Il eût été bon pour cet homme-là qu'il ne fût pas né. »

– Et pourtant, tu approuvais sa démarche ?

– J'imaginais son destin. Voué à être honni, exécré jusqu'à la fin des temps. De génération en génération, abominé. Judas, Judas, Judas… Oui, il eût mieux valu qu'il ne vît pas le jour.

Il s'arrête et ajoute :

---

15. Voir p. 297.

— Et puis, il y avait la peur. À l'exemple du chagrin, elle peut conduire à de terribles errances. Pas la peur de mourir, mais de souffrir.

Le prêtre hausse un sourcil.

— La peur de souffrir ? Toi ?

— Nicodème, seuls les désespérés ignorent la peur, et je porte trop d'espérance en moi. Et puis, ai-je parlé de mort ? Seulement de la souffrance.

Jésus darde ses yeux de braise dans ceux de Nicodème et poursuit :

— La mort n'existe pas.

Les lèvres du prêtre s'animent. Il va poser la question qui le torture depuis son arrivée : « La liberté ou la mort ? »

À quoi bon ? Le fils de l'homme lui a déjà répondu. Il se contente d'annoncer :

— Il te reste deux nuits. Après-demain, à l'aube, Joseph et moi nous reviendrons. Nous apporterons un linceul et des aromates.

Comme s'il n'avait pas entendu l'information, Jésus frôle du doigt la dernière feuille de papyrus et demande :

— Puisque l'heure vient, me serait-il possible d'exprimer une dernière volonté ?

— Laquelle, rabbi ?

— Ces feuilles…, pourrais-tu me promettre de ne pas les détruire après mon départ et de les préserver ?

— Moi ? Tu souhaiterais que moi, j'en sois le gardien ?

— Oui, Nicodème. Toi. M'accorderais-tu cette grâce ?

— Ces écrits seraient donc si précieux à tes yeux ?

— Bien plus encore.

261

Le prêtre hésite. Son regard se déplace vers les feuilles empilées.

— Rabbi, je t'ai posé une fois la question, mais tu ne m'as pas répondu : pourquoi ? Pourquoi et pour qui as-tu consacré ces heures d'écriture, ne sachant même pas ce qu'il en adviendrait ?

— Pour les autres. Pour ceux qui viendront après moi.

— Après toi ?

Jésus se penche vers le prêtre, soudain fébrile.

— Je pressens la tempête, Nicodème, l'orage et la trahison. J'entrevois un avenir absurde et terrifiant.

Déconcerté, Nicodème secoue la tête.

— Que veux-tu dire ?

— Jour après jour, j'ai vu naître et grandir le malentendu dans les yeux de mes disciples et dans ceux des foules qui m'écoutaient. Moi parti, je crains qu'ils ne s'emparent de mes mots et ne les fardent comme on farde une fille de mauvaise vie. Dans ce cas, l'enseignement de mon Père deviendra poussière. J'ai parlé de paix, ils feront la guerre, et ils la feront en mon nom. J'ai parlé d'amour, ils déverseront des boisseaux de haine, et le sang débordera des ventres de la terre. Ils le feront en mon nom. J'ai parlé des humbles, ils se couvriront d'or et érigeront des palais. J'ai parlé de clémence, ils inventeront des péchés. J'ai voulu libérer l'homme de l'injuste poids des préceptes inutiles et stériles, ils se feront les maîtres d'ouvrage d'interdits et de lois. Je le crains, Nicodème. Je l'appréhende. Vous m'avez volé ma mort. Ceux qui me succéderont vont peut-être me voler ma vie.

— Tu aurais donc si peu confiance en tes disciples ?

– Non ! Pas mes disciples. Seulement, mes disciples ne sont pas éternels. Eux m'ont connu. D'autres viendront qui ne m'ont pas connu. En ceux-là repose le péril. Ils se disputeront ma mémoire comme les légionnaires se sont disputé ma tunique. Ce sera terrifiant, Nicodème. Vois nos Saintes Écritures… Vois comme elles deviennent outrageantes une fois dans la bouche des hommes. Pharisiens, sadducéens, esséniens, zélotes, Samaritains, et demain, qui sait, des…

Jésus semble chercher le mot. Nicodème suggère :

– Des… nazaréens ?

– Peut-être. Et de leur égarement naîtra une autre religion.

– N'est-ce pas le but que tu recherchais ? La rupture ? Abolir tout ce que nos pères ont bâti ?

Une expression pleine de lassitude empreint le visage du fils de l'homme.

– Pauvre Nicodème, tu n'as toujours rien compris. Pourtant ce que j'ai affirmé, je l'ai affirmé clairement : « Je n'ai pas été envoyé pour abolir les Écritures, mais les accomplir. » J'ai affirmé : « Celui donc qui supprimera l'un de ces plus petits commandements, et qui enseignera aux hommes à faire de même, sera appelé le plus petit dans le royaume des cieux ; mais celui qui les observera, et qui enseignera à les observer, celui-là sera appelé grand dans le royaume des cieux. »

– N'est-ce pas incompatible avec tes discours ?

– Caïphas m'a fait la même remarque. Non. Il existe une différence entre le fait d'abolir et celui de parfaire. *Parfaire*. Je n'ai rien voulu d'autre, sinon débarrasser la religion de nos pères de ces oripeaux et la vêtir de neuf, pas en créer une nouvelle ! Jamais !

Le fils de l'homme marque un temps avant de désigner les papyrus.

– Tout est écrit. C'est mon héritage. Prends-en soin. Peux-tu me le promettre ? Promets-le-moi !

Nicodème semble pris de vertige.

– Je te le promets.

Le silence retombe. Jésus fait quelques pas et se laisse choir sur la natte.

– Tu m'as posé une question. C'est mon tour, à présent.

– Oui ?

– L'autre « moi ». Qu'est-il advenu de lui ?

Comme le prêtre reste interdit, Jésus poursuit :

– Ce double que vous avez fait surgir ici et là, tellement double qu'il a pu tromper les êtres qui me connaissaient le mieux.

– Non ! Tu es dans l'erreur. Aussi vrai que vit le Seigneur, tu es dans l'erreur ! Je sais bien que les mots qui sortent de ma bouche ne t'inspirent que le doute, mais il n'y a pas eu de double. Aucun de nous n'a jamais imaginé un tel stratagème. Ni Joseph, ni moi, ni aucun des membres du Sanhédrin. Je puis te l'assurer. À aucun moment. Jamais. C'eût été impossible à concevoir. Je t'en supplie, crois-moi. Sur ce point au moins, tu *dois* me croire.

Nicodème prend une brève inspiration avant de révéler :

– En vérité, nous-mêmes avons longtemps pensé que ces apparitions n'étaient que rumeurs colportées par tes disciples. Nous en étions fermement convaincus. Et puis, un matin, des agents à la solde d'Hérode t'ont aperçu. Leur témoignage devenait incontestable.

Le corps de Jésus se raidit, se tend comme un arc.

— Des agents d'Hérode ? Quand ? Où ?

— Sur les berges de la mer de Galilée. Quelques jours après que nous t'avions arraché au tombeau.

Un silence.

Jésus fait observer :

— À ce moment-là, j'étais alité ici même, dérivant entre vie et mort.

— Absolument. Le thérapeute convoqué à ton chevet était même persuadé que tu ne survivrais pas. Jusqu'au moment où tes plaies se sont mystérieusement cicatrisées.

Jésus demeure songeur. Puis il plonge ses yeux dans ceux du prêtre et questionne avec insistance :

— Tu es donc formel. Plus rien ne s'est passé après ma guérison ?

— Non, rabbi. Je l'affirme.

On sent que tout à coup dans l'esprit du fils de l'homme des pensées neuves s'entrelacent, se bousculent.

Il articule lentement :

— Les apparitions se seraient donc produites alors que mon être oscillait entre deux mondes, et seulement à ce moment-là ? Comme si, à l'approche de l'Ange des Ténèbres, surgissait un territoire où la chair hésite, alors que l'esprit n'aspire qu'à se détacher, à s'élever vers le Père.

Jésus marque une pause. Ses traits se tendent. Il reprend :

— Il n'existe qu'une seule explication à ces apparitions.

— Laquelle ?

— J'aurais eu ce pouvoir. Un de plus, accordé par le Père.

Cette pensée m'a effleuré. Mais je l'ai aussitôt rejetée. Pourtant, la réalité est là.

— *La réalité ?* Je ne comprends pas.

— Ne viens-tu pas de préciser que ces apparitions ne sont survenues que lorsque j'étais entre la vie et la mort ? Et jamais plus ?

Nicodème confirme.

— Je te rappelle donc mes propos d'il y a un instant : « À l'approche de l'Ange des Ténèbres, surgit un territoire où la chair hésite, alors que l'esprit n'aspire qu'à se détacher, à s'élever vers le Père. »

— Sans en être conscient ? Sans que l'on en conserve le souvenir ? C'est absurde !

— Pour l'homme… oui.

Un silence s'installe. Le fils de l'homme se plonge au fond de lui. Un murmure d'eau, de roseaux qui bruissent et flamboient, des cris arrivent par vagues des profondeurs de la nuit et des clameurs d'espérance. Des perles de sueur coulent sur ses tempes. Une voix, la Voix gronde dans les confins de son être : « Il accomplira donc ses desseins à mon égard, et il en concevra bien d'autres encore. »

Après un long moment, il murmure :

— Tout s'éclaire, Nicodème. Nous ne sommes pas dans la vie. Nous ne sommes pas dans la mort. Mais dans la vie et la mort à la fois. Maintenant, je sais. Tout est fini. Tout est consommé. Ce qui a été, c'est ce qui sera, et ce qui s'est fait, c'est ce qui se fera. Souviens-toi de ces mots, Nicodème.

16

Bersabée. Le 22 du mois de yyar.

Simon-Pierre et Philippe viennent d'arriver devant la maison. Une maison modeste. Des murs de terre revêtus d'argile blanchie, un toit formé de bois et de branchages.

À l'ombre d'un sycomore, deux enfants : une fillette et un garçon jouent sur le sentier pierreux. Philippe les interpelle :

– Est-ce bien ici qu'habite Yalone, fils de Manassé ?

– Oui. C'est notre père.

Les deux hommes s'approchent de la porte. Simon-Pierre frappe deux coups. Un bref instant s'écoule. Une femme d'une trentaine d'années entrouvre le battant. Elle est de taille moyenne, solidement charpentée. Le visage encadré de cheveux frisottants, les yeux grands, noirs.

– La paix sur toi, commence Simon-Pierre. Sommes-nous chez le fils de Manassé ?

La femme répond par l'affirmative et croit utile d'ajouter :

– C'est mon mari.

– Est-il là en ce moment ?

Les traits de la femme s'illuminent, comme sous l'impulsion d'une soudaine espérance.

– On l'a retrouvé ?

Déconcerté, Simon-Pierre bredouille :

– Retrouvé ?

Les traits de la femme se brouillent. Le corps semble s'effondrer.

– Voilà huit jours que nous sommes sans nouvelles de lui. Qui êtes-vous ?

– Pouvons-nous entrer ? demande Simon-Pierre.

Elle hésite, examine les deux hommes d'un œil suspicieux et finit par acquiescer.

À l'intérieur, des tabourets, des nattes et des coussins, quelques jarres, une armoire et un four à pain dans un renfoncement. La femme laisse la porte entrebâillée.

– Alors, dites-moi.

Simon-Pierre se laisse choir sur une natte. Philippe reste debout.

– Voilà. C'est au sujet de la mère de Yalone...

– Yakira ?

– Oui. Je...

– Elle est morte, savez-vous ?

– C'est pour cela que nous sommes ici. Nous avons appris qu'elle avait confié à son fils un message destiné à des amis de Béthanie. Et...

– Oui... oui... je suis au courant. C'est d'ailleurs depuis ce jour que Yalone a disparu. Il est allé à Béthanie et n'est jamais revenu.

Pierre et Philippe échangent un coup d'œil en coin.

268

— Personne ne l'a revu ? interroge ce dernier. Vraiment ?

— Personne.

Le visage de la femme se fait implorant.

— Et vous, êtes-vous au courant de quelque chose ? Est-il vivant ? Il n'est pas malade ?

— Hélas ! ma sœur, nous aussi sommes dans l'ignorance. Nous pensions même le trouver ici. Peut-être pourrais-tu nous aider ?

— Vous aider ? Moi ? Alors que c'est moi qui suis dans la détresse ?

— Écoute-moi, intervient Simon-Pierre, la mère de Yalone a bien été assassinée, n'est-ce pas ?

— Oui. Une femme de cet âge… Une pauvre innocente, comment a-t-on pu ?

— Sais-tu chez qui elle travaillait ? Peux-tu nous donner un nom ?

— Pourquoi ? Quel rapport avec Yalone ?

— Parce que tout porte à croire que le meurtre de la mère et la disparition du fils sont liés. Un nom, je t'en prie !

La femme secoue la tête à plusieurs reprises d'un air désolé.

— Je n'ai aucune idée. Je me souviens seulement qu'une personne est venue un jour ici qui cherchait une servante et Yakira s'est proposée. Le salaire était bon.

— Tu étais présente ce jour-là ?

Elle acquiesce.

— Et l'inconnu n'a pas décliné son identité ?

— Non, ou alors je ne me souviens plus.

— Je t'en conjure, fais un effort !

— Vous me faites peur. Vous pensez que cet individu…

— Je suis seulement persuadé que si nous arrivions à retrouver l'endroit où ta belle-mère travaillait, nous aurions une chance de découvrir ce qui est arrivé à Yalone.

La femme se prend le visage entre les mains.

— Réfléchis..., supplie Philippe. Tu as bien dû surprendre quelque chose. Un mot...

Elle laisse retomber ses mains sur ses hanches en signe d'impuissance.

— Rien. Rien, je ne vois rien.

Un sentiment de découragement accable les disciples. Pierre se relève, pose une main consolatrice sur l'épaule de la femme.

— Pardonne-nous, ma sœur, si nous t'avons brusquée. C'est que nous avons fait un long voyage de Capharnaüm jusqu'ici et nous sommes épuisés.

Elle pousse un soupir.

— Si seulement j'avais pu vous aider... Pour Yalone...

— Que le Seigneur te garde. Nous allons prier pour que ton époux te revienne. La paix sur toi.

Les disciples regagnent le seuil. Dehors, une brise souffle qui soulève des volutes de poussière. Les enfants ne sont plus sous le sycomore. Ils s'approchent des deux hommes.

— Le puits du serment, chuchote la fillette.

Pierre plisse le front et caresse les cheveux de l'enfant. Manifestement, il n'a pas attaché d'importance aux mots qu'elle vient de prononcer. Elle répète avec insistance :

— Le puits du serment !

Philippe se penche sur l'enfant.

— Veux-tu nous expliquer ?

— Lorsque l'homme est ressorti de la maison, quelqu'un

l'attendait. Ils ont parlé ensemble et l'homme a mentionné le puits du serment.

– Le puits du serment ? répète Philippe, déconcerté.

– Ma fille a raison ! s'écrie la femme qui est venue les rejoindre. L'endroit se trouve à l'est, dans le désert, à une heure de marche. Il y a un puits. Les gens d'ici racontent que c'est l'endroit où le souverain des Amalécites et Abraham ont signé un pacte. Abimélec accordait à notre père le droit d'abreuver ses troupeaux.

Philippe dévisage son compagnon. Aucun des deux ne semble avoir entendu parler de l'histoire.

Sans hésiter, Pierre annonce :

– Allons-y ! Vite !

Le sable est brûlant. Le soleil au midi. Les cailloux font tressauter la charrette où les disciples ont pris place. Le cheval qui les entraîne souffle, naseaux écumants.

Bientôt, un cercle de pierres se détache à fleur de sable. Un puits. Un chamelier est là qui vient d'y plonger son outre. Non loin, sur la droite, à travers le rideau de chaleur, on aperçoit une maisonnette.

– C'est là ! s'exclame Simon-Pierre.

Ils franchissent à toute allure les quelques toises qui les séparent du lieu, mettent pied à terre et foncent vers la bâtisse.

Dans leur empressement, à aucun moment ils n'ont prêté attention aux cavaliers qui, du fond de l'horizon, galopaient dans leur sillage.

La porte est ouverte. Ils entrent, balayent rapidement le décor du regard, s'engouffrent dans un couloir qui mène à une pièce sans fenêtre. Une natte. Une table. Une lampe.

Les deux hommes s'immobilisent.

– Il n'y a plus personne ici.

– À moins qu'il n'y ait jamais eu quiconque, rectifie Pierre.

Ils scrutent attentivement chaque recoin.

– Tu te trompes, s'écrie Philippe. Il y avait bien quelqu'un. Regarde !

Sur la natte, on voit des traces de sang. Des taches d'encre maculent le bois de la table. Une bandelette, elle aussi maculée d'auréoles sanguines.

– Il était là ! Le maître était là !

Un frisson parcourt Simon-Pierre et lui arrache un tremblement.

– Tu as raison, mon frère. Ce sang ne peut être que le sien.

– Où est-il allé ? Où le chercher à présent ?

Pierre ne répond pas et s'agenouille devant la natte. Ses mains se crispent de toutes ses forces sur les brins de paille. Il gémit :

– Père… *Rabbouni*… Père…

Une cavalcade l'interrompt.

Il relève la tête.

Trois hommes en armes ont surgi sur le seuil.

*

Césarée.

Le calme de Pilate a quelque chose d'effrayant. Sur sa figure de marbre, c'est à peine si l'on devine un léger frémissement des lèvres. Pierre et Philippe, les poignets liés, ne quittent pas le préfet des yeux.

– Ainsi, selon vous, il y aurait eu un meurtre...

Les disciples acquiescent de concert.

– Une femme chargée d'un message du Galiléen...

Nouvelle approbation.

– Quelle était la teneur de ce message ?

– Il ne te servirait à rien de le connaître.

– De cela, je suis seul juge, fils de Jonas. Je t'écoute...

– « Si quelqu'un vous dit : Jésus est ici, ou il est là, ne le croyez pas. Car il s'élèvera de faux Jésus et de faux prophètes. Heureux ceux qui n'ont pas vu, et qui ont cru. »

– C'est tout ?

– C'est tout, préfet.

– Ce qui signifierait – si je suis votre hypothèse – que le Galiléen lui-même considère toutes ces histoires d'apparitions comme autant de fariboles. Ce qui confirme au passage que l'individu a bien été décroché vivant de la croix.

Pierre hausse les épaules.

– Comme ton jugement, tes déductions t'appartiennent.

– À quoi joues-tu ? N'est-ce pas une évidence ?

La voix du préfet s'est faite plus tranchante. Il poursuit :

– S'il est vivant, c'est qu'il n'était pas mort !

– Ou qu'il est mort et ressuscité..., rectifie tranquillement Philippe.

Pilate part d'un rire nerveux.

– Pauvres malheureux ! Votre naïveté est consternante. Elle seule mériterait que l'on vous infligeât le même sort qu'à votre chef. Peu importe ! Le fait de croire en un dieu invisible, et qui n'a pas de nom, fait déjà de vous des simples d'esprit. On ne discute pas avec des simples d'esprit. Je vous plains et je plains votre descendance.

Il balaye l'air et enchaîne, mais cette fois à l'intention des légionnaires qui se tiennent en retrait :

– Ainsi, la maison était vide ?

– Oui, seigneur préfet. Vide.

Pilate tourne sur ses talons et marche vers une table où sont disposées une coupe et une cruche d'eau. Il se sert, boit une gorgée et demeure songeur.

Une conclusion s'impose qui, depuis un moment, lui permet de mieux respirer : de toute évidence, les disciples et l'homme de Nazareth ne sont pas de connivence. L'hypothèse du complot est donc caduque. Néanmoins, reste une série de questions qui continuent de le tourmenter : qui se cache derrière l'évasion de Jésus ? Les prêtres ? Ç'avait été sa première idée. Impossible. Ainsi que Joseph et Nicodème l'ont fait remarquer : « Peux-tu vraiment penser que nous, membres du Sanhédrin, nous nous serions associés avec un personnage qui n'aspirait qu'à nous détruire ? » Alors qui ? Pourquoi ? Et pour quelle raison l'homme ne se manifeste-t-il pas ? Voilà bientôt un mois qu'on ne l'a revu nulle part. Ni apparition ni manifestation d'aucune sorte. Se dessine pourtant une éventualité : trop heureux d'avoir échappé à la mort, il aurait détalé et quitté le pays. C'est possible, mais cela n'est qu'une supposition. Alors, que reste-t-il à faire ?

Les doigts de Pilate serrent la coupe. Il n'existe qu'une réponse : attendre. Guetter et prier les dieux que demain, ou dans les jours prochains, un message soit porteur d'un pli de Tibère ou de Séjan lui annonçant que le temps est venu pour lui de quitter ce pays où même les pierres crient la nuit et les arbres se prennent pour des messies.

*

Quelque part en Judée. 23 du mois de yyar. À l'aube.

Nicodème et Joseph d'Arimathie marchent lentement vers la pièce. Joseph tient un coffret empli d'aromates, Nicodème un linceul plié. Derrière eux, suit Malchus, le chef de la milice du Temple, l'épée à la main.

Arrivé devant la porte, Nicodème s'immobilise, marque un temps d'hésitation avant d'ordonner au milicien :

– Fais vite ! Qu'il ne souffre pas.

Le soldat le rassure :

– N'aie crainte.

Les prêtres s'écartent pour lui livrer le passage.

Malchus tourne la clé dans la serrure et repousse le battant.

Il s'arrête net sur le seuil.

Joseph d'Arimathie l'interpelle, agacé :

– Qu'attends-tu ?

Malchus ne répond pas.

– Qu'attends-tu ?

– Il…

– Quoi donc ? Parle !

– Il… il a disparu.

Les deux prêtres se ruent. Leurs yeux scrutent la pièce.

Les papyrus sont soigneusement empilés entre le godet et le roseau.

Dans un même élan les trois hommes se précipitent à l'extérieur.

Le ciel est rouge.

Sur le sable, Nicodème aperçoit des traces de pas qui vont vers l'horizon.

Il jurerait qu'elles n'étaient pas là la veille.

17

Jérusalem. Trois ans plus tard. Maison de Caïphas.

Par la fenêtre entrebâillée, entre une odeur de pain venue des terres qui ne sont plus moissonnées. Pas une feuille ne bouge.

— Des années se sont écoulées et je continue à repenser à cette affaire, soupire Caïphas. J'ai toujours autant de mal à accepter l'idée que le Galiléen ait fini par capituler. Jamais je ne l'aurais cru.

Il tend à Nicodème un bol de grenades tout en poursuivant :

— Ce revirement de la dernière heure. Crois-tu vraiment que c'est la peur qui l'a poussé à répondre à nos exigences ?

Nicodème masque sa gêne. Ce n'est pas la première fois.

— Je ne sais. La peur sans doute, ou la raison. Ou les deux à la fois.

— Ce qui prouve qu'il n'était qu'un homme, après tout, semblable à nous tous. Tu l'as bien accompagné à bord du navire ? Et il y est resté ? Tu en es sûr ?

Nicodème s'efforce de prendre une mine réprobatrice.

– Mon frère, tu m'as si souvent posé cette question. J'ai même attendu que soient larguées les amarres et je n'ai quitté le port qu'une fois l'embarcation hors de vue. De plus, le capitaine avait reçu ordre de ne faire demi-tour sous aucun prétexte.

– Parfait, parfait. Mais je dois admettre qu'il s'en est fallu de peu pour que notre projet tourne au drame. Maintenant, nous devons espérer que nos efforts seront payés au centuple.

Le prêtre se veut rassurant :

– Comment pourrait-il en être autrement ? Il n'est qu'à regarder autour de nous ce qui se passe. Nous nous sommes débarrassés de Pilate. On raconte qu'il a été exilé en Gaule. Certains évoquent même sa mort*. Les adeptes de Jésus ne cessent de proliférer. Il ne se passe pas un seul jour sans que l'on entende ici et là des illuminés dispenser son enseignement. D'Antioche à Tyr, de Damas à Éphèse, ses laudateurs se multiplient.

– C'est vrai, reconnaît Caïphas. Figure-toi qu'un individu du nom de Paul, originaire de Tarse, a repris le flambeau avec encore plus de zèle que les disciples les plus proches du Galiléen. À la différence de son maître, il prêche pour une rupture totale avec le judaïsme. Certains m'ont rapporté qu'il tient des propos qui sont, pour la plupart, une ignominie pour les femmes et en totale contradiction avec ce que j'ai pu entendre du Nazaréen. Je te les cite en vrac : « Je pense qu'il est bon pour l'homme de ne point

---

* En réalité, Pilate était déjà mort depuis peu. Il se serait suicidé sur ordre de Caligula.

278

toucher de femme ! Es-tu lié à une femme, ne cherche pas à rompre ce lien ; n'es-tu pas lié à une femme, ne cherche pas une femme ! » Et comment les créatures du Seigneur se multiplieraient-elles ?

Nicodème esquisse un sourire.

– Ce n'est pas tout, reprend le grand prêtre. Ce Paul affirme aussi : « Si une femme n'est pas voilée, qu'elle se rase la tête ! L'homme, lui, ne doit pas se couvrir la tête, puisqu'il est l'image et la gloire de Dieu, tandis que la femme est la gloire de l'homme ! L'homme n'a pas été tiré de la femme, mais la femme a été tirée de l'homme. Et l'homme n'a pas été créé à cause de la femme, mais la femme a été créée à cause de l'homme. »

Le grand prêtre se tait un instant et demande :

– N'est-ce pas incroyable ?

Nicodème garde le silence. Dans sa tête résonne une voix vieille de trois ans :

Je n'ai rien voulu d'autre, sinon débarrasser la religion de nos pères de ses oripeaux et la vêtir de neuf, pas en créer une nouvelle ! Jamais !

Moi parti, je crains qu'ils ne s'emparent de mes mots et ne les fardent comme on farde une fille de mauvaise vie.

– Il y a mieux encore, poursuit Caïphas. Écoute : « Quelqu'un a-t-il été appelé étant circoncis, qu'il demeure circoncis ; quelqu'un a-t-il été appelé étant incirconcis, qu'il ne se fasse pas circoncire. » Te rends-tu compte ? Jamais le Nazaréen n'a fait ce genre de recommandation.

– Ce Paul est fou, laisse tomber Nicodème.

– Détrompe-toi, mon frère, il est parfait. N'est-ce pas

ce que nous espérions ? La naissance d'une nouvelle religion ?

— Je sais. Cependant, je n'imaginais pas qu'elle prendrait forme aussi vite.

— Remercions l'Éternel et rendons-lui grâce tous les jours. Le temps viendra où, enfin, les Romains pourront se retourner vers d'autres que nous. Ce que nous avions prévu est en marche. Une nouvelle religion est en train de voir le jour ! Comme nous l'avions prévu. Une religion qui, elle aussi, sera le pire ennemi de Rome puisque, comme la nôtre, elle s'opposera à la divinité de l'empereur. Tôt ou tard, face à ce déferlement, Rome disparaîtra. Une nouvelle religion, Nicodème ! Et Jérusalem, enfin libérée ! Béni soit Adonaï !

Nicodème fait mine de s'exalter. Mais dans sa tête l'orage est revenu et la terre gronde. Voilà des milliers de nuits qu'il ne dort plus. Il ne dormira plus jamais.

La pièce était vide.

Les feuilles de papyrus empilées sur la table.

Il n'était plus là. L'Éternel en fut témoin. *La pièce était vide.*

Depuis cette heure, le voilà condamné à porter jusqu'à son dernier jour l'interrogation implorante et sans réponse.

Trois ans. Trois ans, et pas un seul jour vécu sans que sa mémoire refasse encore et encore le chemin à l'envers.

— *Et puis, un matin, des agents à la solde d'Hérode t'ont aperçu. Leur témoignage devenait incontestable.*

— *À ce moment-là, j'étais alité, dérivant entre vie et mort.*

— *Absolument. Le thérapeute convoqué à ton chevet était*

même persuadé que tu ne survivrais pas. Jusqu'au moment où tes plaies se sont mystérieusement cicatrisées.

– *C'est étrange. Les apparitions se seraient donc produites alors que mon être oscillait entre deux mondes, et seulement à ce moment-là ? Comme si, à l'approche de l'Ange des Ténèbres, surgissant un territoire où la chair hésite, alors que l'esprit n'aspire qu'à se détacher, à s'élever vers le Père.*

Lorsque au lendemain de la crucifixion, Joseph d'Arimathie et lui, Nicodème, avaient roulé la pierre, ils avaient constaté que Jésus était toujours vivant.

Toujours vivant. N'est-ce pas ce qu'ils avaient conclu ? Ou alors… ?

La seule pensée d'une autre hypothèse fait toujours trembler autant l'âme de Nicodème.

Ressuscité ?

Impossible. Impossible. La peau, le cœur, l'esprit de Nicodème, sa foi, ancrée au tréfonds de lui refusent même de l'envisager.

Mort après le coup de lance et ressuscité ?

Non ! Absurde, absurde !

– *Les apparitions se seraient donc produites alors que mon être oscillait entre deux mondes, et seulement à ce moment-là ?… Il n'existe qu'une seule explication à ces apparitions.*

– *Laquelle ?*

– *J'aurais eu ce pouvoir.*

Oui. Bien sûr ! Elle pourrait être là l'explication. Le Galiléen était certainement détenteur d'un pouvoir surnaturel. À l'instar de Dosithée, de Simon le Magicien et de tous ces mages qui, depuis toujours, ont écumé la région. Après tout, ne guérissait-il pas les malades ? Ne chassait-il pas les démons ? Ne rendait-il pas la vue aux aveugles ? On a même dit qu'il marchait sur les eaux, qu'il aurait ressuscité l'un de ses proches, Lazare, et la fille d'un chef de la synagogue de Capharnaüm.

Oui. Un pouvoir surnaturel ! C'est la seule explication. Il ne peut y en avoir aucune autre.

— Tout s'éclaire, Nicodème. Nous ne sommes pas dans la vie. Nous ne sommes pas dans la mort. Mais dans la vie et la mort à la fois. Maintenant, je sais. Tout est fini. Tout est consommé. Ce qui a été, c'est ce qui sera, et ce qui s'est fait, c'est ce qui se fera. Souviens-toi de ces mots, Nicodème.

Pleure, Nicodème, pleure. La joie a disparu de ton cœur, le deuil a remplacé tes danses. De tous ceux qui t'aiment, nul ne pourra te consoler. Tu auras beau crier et implorer du secours, personne ne répondra. Tu as fermé ton chemin avec des pierres de taille, tu as détruit tes sentiers. Le fils de l'homme a été pour toi et restera un mystère dans un lieu caché.

Épilogue

En août 66 de notre ère, les zélotes déclenchent la révolte, massacrent les grands prêtres et s'emparent de Jérusalem. La réaction de Rome est immédiate. Sous la direction du général Vespasien, les légions entament la reconquête.

Vespasien étant devenu empereur, c'est à son fils Titus qu'il revient d'achever le siège de Jérusalem.

Titus lance son attaque le 9 du mois de av de l'année 70 (juillet), noyant la cité et sa population sous un déluge de pierres, de fer et de feu. Le Temple est rasé, et les habitants déportés.

Si le projet de Caïphas, de Hanan et de ses compagnons a bien abouti, si, sous l'impulsion de Paul, le christianisme est effectivement devenu une religion et, pendant quelques siècles, l'ennemi de Rome, à aucun moment les souffrances infligées au peuple d'Abraham ne se trouvèrent pour autant allégées.

Le Galiléen les avait pourtant prévenus : *Ce qui a été, c'est ce qui sera, et ce qui s'est fait, c'est ce qui se fera.*

Réponses à quelques étonnements

1. Frères et sœurs de Jésus

Marc (3 : 31-35) : « Survinrent sa mère et ses frères, qui, se tenant dehors, l'envoyèrent appeler. La foule était assise autour de lui, et on lui dit : Voici, ta mère et tes frères sont dehors et te demandent. » Mathieu (13 : 55) : « N'est-ce pas le fils du charpentier ? n'est-ce pas Marie qui est sa mère ? Jacques, Joseph, Simon et Jude, ne sont-ils pas ses frères ? et ses sœurs ne sont-elles pas toutes parmi nous ? » Luc (2 : 7) : « Pendant qu'ils étaient là, le temps où Marie devait accoucher arriva, et elle enfanta son fils premier-né. » Luc (8 : 19) : « La mère et les frères de Jésus vinrent le trouver ; mais ils ne purent l'aborder, à cause de la foule. » Jean (2 : 12) : « Après cela, il descendit à Capharnaüm, avec sa mère, ses frères et ses disciples. » Jean (7 : 3) : « Et ses frères lui dirent : Pars d'ici, et va en Judée, afin que tes disciples voient aussi les œuvres que tu fais. Car ses frères non plus ne croyaient pas en lui. » Paul, dans son épître aux Galates (I, 19) précise : « Mais je ne vis aucun autre des apôtres, si ce n'est Jacques, le frère du Seigneur. »

On a voulu conclure que le mot « frère » avait un sens plus large en hébreu (*akh*) en partant du principe qu'il n'existe ni en araméen, ni en hébreu un terme propre pour désigner « cousin » et que, dans la tradition orientale, le mot frère peut s'appliquer à des proches en général, voire à des « amis ». Mais c'est faire abstraction d'un élément essentiel : les Évangiles et les épîtres de Paul ont été rédigés dans la langue grecque. Or, celle-ci fait parfaitement la différence entre *adelphos*, qui signifie « frère », et *anepsios*, qui signifie « cousin ».

2. *Sur une croix ou un tronc d'olivier ?*

Jésus n'a très probablement jamais été crucifié sur une croix, ainsi qu'on l'imagine, mais sur un tronc d'olivier. Les Romains avaient pour habitude de crucifier par centaines brigands, assassins ou rebelles. La théorie selon laquelle on confectionnait des croix pour chaque condamné est plus qu'improbable. On ne fabriquait que la barre transversale. Au musée de Jérusalem est exposée une série de croix représentatives de celles que l'on pouvait voir à cette époque. Elles sont toutes, sans exception, formées d'un tronc d'olivier, d'une barre transversale, et parfois d'un *sediculum* ou « sedile », une sorte de petit siège fixé sur le devant de la croix, à peu près à mi-hauteur, qui permettait de soutenir le corps du supplicié et de prolonger ainsi son agonie. Le même tronc d'olivier pouvait ainsi servir indéfiniment. Par ailleurs, comme le fait remarquer Flavius Josèphe, l'historien juif du Iᵉʳ siècle, le bois était si rare en ce temps à Jérusalem que les Romains étaient forcés d'aller à dix milles (environ 16 km) de la ville pour trouver le bois nécessaire à la fabrication de leurs engins de siège.

3 Le coup de lance

D'un point de vue strictement médical, paradoxalement, le coup de lance aurait pu être l'explication de la survie de Jésus. Si l'on tient compte de la description de Jean (19 : 34), « Un des soldats lui perça le côté avec une lance, et aussitôt il sortit du sang et de l'eau », il est possible que Jésus ait été victime à ce moment-là d'un œdème pulmonaire, typique d'une détresse respiratoire. Le liquide qui envahit l'intérieur des poumons a une coloration rosée et un aspect spumeux (mousseux), d'où l'apparence « d'eau et de sang ». En perçant l'œdème, on libère aussitôt la pression exercée sur le poumon et la victime recouvre une respiration quasi normale.

4. Sur la date de naissance de Jésus

Au cours du VIe siècle, les chrétiens s'entre-déchirent au sujet de la datation de Pâques, fête de la réincarnation de Jésus. Denys le Petit, moine, mathématicien et astronome, plonge dans la polémique et présente au pape Jean Ier en l'an 525 (ou 532, selon les sources) une toute nouvelle chronologie de l'humanité fondée sur la venue du Christ : l'*Anno Domini*. Jusque-là, on calculait encore à partir de la date (présumée) de la fondation de Rome. Selon les calculs de Denys le Petit, Jésus serait donc né en 753 après la fondation de Rome. On sait qu'il s'est fourvoyé.

Selon Luc : « En ce temps-là parut un édit de César Auguste, ordonnant un recensement de toute la terre. Ce premier recensement eut lieu pendant que Quirinius était gouverneur de

287

Syrie. » D'après les archives de l'époque, Quirinius ne devint gouverneur de Syrie qu'en l'an 6 après J.-C.

Par ailleurs, Matthieu nous dit que Jésus est né « au temps du roi Hérode le Grand ». Hérode étant mort en l'an 4 avant J.-C., une évidence s'impose : Jésus n'a pu naître qu'avant la disparition du tétrarque, aux alentours de l'an 7 ou 6 avant J.-C. En ce qui concerne le mois, plus aucun historien contemporain sérieux ne s'aligne sur décembre, encore moins le 25, qui est une vieille date païenne qui marquait, entre autres, la victoire de Mithra sur les ténèbres. Le choix du 25 décembre a été décrété en 325, lors du concile de Nicée, l'Église souhaitant ainsi remplacer une fête païenne par celle de la naissance du Christ. En revanche, tout laisse à croire qu'il serait né dans le courant du mois d'avril, aux alentours du 15. Plus précisément au moment de la Pâque. Luc, mais lui seul, rapporte que Jésus naquit « dans une mangeoire », parce qu'il n'y avait plus de chambres disponibles. Or le seul moment de l'année où Bethléem était envahi par les voyageurs était en avril. En effet, la Pâque drainait un nombre considérable de visiteurs, près de deux cent mille.

Autre détail, toujours selon Luc, les bergers se trouvaient dans les champs avec leurs troupeaux. Or, dans la région de Bethléem, les bergers étaient dans les champs à partir de la fin de mars ou du début d'avril jusqu'au mois de novembre. Par ailleurs, il est précisé (toujours par Luc) que l'activité publique de Jésus se situe en l'an 15 du principat de Tibère (14-37). Pilate étant gouverneur de Judée (26-36), Hérode Antipas, tétrarque de Galilée (de 4 avant J.-C à 39 après J.-C.). On peut donc en déduire que Jésus a commencé son ministère entre 26 et 29, qu'il dura au minimum un an et au maximum trois ans, qu'il s'est terminé par son exécution entre 28 et 33. Par conséquent, au début de son ministère, Jésus était probablement au début ou au milieu de la trentaine (31-35 ans) et à sa conclusion, au milieu ou à la fin de la trentaine (35-39 ans). Étant donné que le ministère de Jean-Baptiste commence vers la fin de l'année 27 ou au début de l'an 28, Jésus devait donc avoir entre 33 et 34. Étant mort en 30, il avait donc (au minimum) trente-six ans. Ce qui expliquerait l'objection qui lui est faite par les pharisiens : « Tu n'as pas cinquante ans. » En toute logique, on n'est pas porté à faire ce genre de remarque à un homme qui serait au début de sa trentaine, mais plutôt dans la quarantaine Les lecteurs intéressés peuvent se reporter à l'ouvrage magistral de John P. Meier, *Un certain juif, Jésus*, T. 1, Éditions du Cerf.

5. *Sur la naissance de Jésus à Nazareth et non à Bethléem*

Matthieu et Luc affirment qu'il est né à Bethléem. Mais ce sont les seuls passages du Nouveau Testament à soutenir cette thèse. Même pour ces deux disciples, Jésus est simplement « Jésus de Nazareth, le Nazaréen ». Jean insiste même sur Nazareth comme étant le lieu d'où Jésus est originaire. D'où la réponse de Nathanaël (Jean, 1 : 45,46) : « Peut-il venir de Nazareth quelque chose de bon ? » Et l'on comprend dès lors la réaction des opposants de Jésus : « Est-ce bien de la Galilée que doit venir le Christ ? L'Écriture ne dit-elle pas que c'est de la postérité de David, et du village de Bethléem, où était David, que le Christ doit venir ? » (Jean, 7 : 41,42.) De même peut-on lire en Luc (2 : 39) : « Lorsqu'ils eurent accompli tout ce qu'ordonnait la loi du Seigneur, Joseph et Marie retournèrent en Galilée, à Nazareth, leur ville. » C'est uniquement pour satisfaire la prophétie affirmant que le Messie ne pourrait être issu d'une autre ville que Bethléem que l'on y fait naître Jésus.

6. Thomas dit le Jumeau

Par trois fois, le traducteur du quatrième Évangile traduit le mot hébreu *té'ôm* ou araméen *té'ôma*, utilisé pour Thomas, par le mot grec équivalent *didymos*, qui signifie « jumeau ». Au Ier siècle de notre ère, ces deux mots hébreu et araméen étaient des noms communs et n'étaient pas habituellement utilisés comme des noms de personne. D'où la redondance que l'on note dans les textes qui font référence à « Didyme Thomas ». C'est au sud d'Éphèse, en Turquie, qu'est située la ville de Didymes. C'est là qu'au VIIe siècle av. J.-C. se sont implantées les premières colonies grecques. On y trouve deux temples quasiment identiques. Le temple d'Apollon et celui d'Artémis. Tous deux ont été construits par les mêmes architectes et ils sont tous les deux dédiés aux dieux jumeaux de l'Olympe, Artémis et Apollon, fils de Zeus et de Léto.

7. Du sang et de la sueur

« L'angoisse le saisit, sa prière se fit de plus en plus pressante, sa sueur devint comme des gouttes de sang qui tombaient à terre » (Luc, 22 : 44).

Cette exsudation sanguine (hématidrose) n'a rien de surnaturelle. Elle est connue sous le nom de « maladie de von Willebrand », qui d'ailleurs n'est pas une maladie en soi, mais une famille de maladies causées par un dérèglement de la protéine sanguine essentielle à la coagulation du sang. Le symptôme peut être déclenché sous l'effet d'une peur intense, d'une très forte angoisse, par l'appréhension de la mort.

8. *Sur le nombre des apôtres*

Ils étaient en tous les cas plus de soixante-dix. Les quatorze formaient le « noyau dur ».

Luc, (10 : 1) indique clairement : « Après cela, le Seigneur désigna encore soixante-dix autres disciples, et il les envoya deux à deux devant lui dans toutes les villes et dans tous les lieux où lui-même devait aller. »

En établissant un comparatif entre les quatre Évangiles, on dénombre :

1. Simon-Pierre,
2. André, son frère,
3. Jean de Zébédée,
4. Jacques de Zébédée,
5. Philippe,
6. Bartholomé (Barthélemy),
7. Thomas, dit le Jumeau,
8. Matthieu Lévi (le collecteur d'impôts),
9. Jacques, fils d'Alphée,
10. Thaddée,
11. Simon, dit le Cananéen ou le zélote,
12. Judes, fils de Jacques,
13. Judas de Kerioth,
14. Nathanaël.

Certains exégètes émettent l'hypothèse que Thaddée et Jude, fils de Jacques, ne seraient qu'une seule et même personne, de même Nathanaël et Barthélemy. Les raisons invoquées pour expliquer ce « jumelage » ne nous paraissent guère très convaincantes.

Pour ce qui est de Thaddée, on explique qu'il était courant d'avoir plusieurs prénoms et que ses proches le connaissaient davantage sous le nom de Thaddée, un surnom affectueux, mais que plus tard il fut connu sous celui de Jude, fils de Jacques. Et sous prétexte que, dans l'Évangile de Jean, le nom de Nathanaël est placé près de Philippe (c'est-à-dire à la place que tient habituellement Barthélemy dans les listes des apôtres rapportées dans les autres Évangiles), il fut décidé que Nathanaël et Barthélemy ne faisaient qu'un. Une autre hypothèse suggère qu'au cours du ministère de Jésus, il n'est pas impossible que l'un des douze (décédé ou parti) ait été remplacé par un autre disciple.

En réalité, l'importance du nombre douze vient de ce qu'il incarnait l'ensemble des douze tribus d'Israël. Ce symbolisme étant tout à fait essentiel, il n'est pas étonnant que ce nombre soit rapidement devenu une désignation toute faite ou une formule stéréotypée qui continua de s'appliquer même quand sa composition changeait ou quand un membre s'y ajoutait ou faisait défaut (comme après la défection de Judas).

9. Marie de Magdala, dite Marie-Madeleine

Elle n'a jamais été ni la pécheresse ni la prostituée que l'on se plaît à décrire depuis des siècles, et encore moins l'amante, voire la prétendue « épouse cachée du Christ ». Il existe en effet trois femmes qui portent le même prénom : Marie de Magdala (possédée par sept démons et guérie par Jésus), Marie de Béthanie (sœur de Lazare) et une « pécheresse anonyme » qui couvre Jésus de parfum lors d'un dîner. Or, à aucun moment, dans aucun des quatre Évangiles, il n'est précisé que Marie-Madeleine *est* la pécheresse. Chaque fois que son nom est cité, il est toujours assimilé à une femme possédée par « sept démons », jamais à celui d'une « pécheresse ». D'ailleurs, seul Luc (7 : 36-39) utilise ce mot pour qualifier la femme au parfum. En revanche, Jean nous donne une information très claire sur l'identité du personnage lorsqu'il nous dit : « Il y avait un homme malade, Lazare, de Béthanie, village de Marie et de Marthe, sa sœur. *C'était cette Marie* qui oignit de parfum le Seigneur et qui lui essuya les pieds avec ses cheveux, et c'était son frère Lazare qui était malade. » Jusqu'au VIᵉ siècle, les pères de l'Église faisaient parfaitement la distinction entre ses trois personnages. Ce n'est qu'à partir de cette date que le pape Grégoire le Grand décréta pour on ne sait quelle raison que les trois « Marie » n'étaient qu'une seule et même personne. C'est donc par une gymnastique pour le moins alambiquée que, depuis cette époque, l'on s'évertue à réunir les trois femmes en une seule. Ainsi, selon la légende consacrée, Marie-Madeleine aurait été une femme riche, aux mœurs légères, originaire de Béthanie, possédant une grande propriété à Magdala et… maîtresse du Christ. Si c'était le cas, on ne voit pas la raison pour laquelle aucun des évangélistes n'aurait jugé utile de préciser à un moment ou à un autre ce lien, alors que, par onze fois, le nom de Marie-Madeleine apparaît. Un autre élément vient renforcer la thèse de Marie de Béthanie pécheresse : dans la soirée organisée pour célébrer la résurrection de Lazare, son frère, c'est bien elle et non Marie-Madeleine qui réitère le geste accompli chez Simon le pharisien. Pour conclure, précisons que le bourg qui porte le nom de Magdala est situé à plus de 150 kilomètres de Béthanie. À moins d'une coïncidence « miraculeuse », on voit mal comment Marie-Madeleine se serait retrouvée en pleine nuit au dîner de Simon le pharisien, armée d'un vase empli de parfum (ce qui laisse sous-entendre un acte prémédité).

10. *À propos de la conception virginale de Jésus*

En dehors de Matthieu et Luc, ni Jean, ni Marc ne font mention de cette conception. Elle n'est pas mentionnée non plus dans les Actes des Apôtres. Même Paul, pourtant défenseur invétéré de la chasteté, n'évoque pas cette hypothèse. Dans son épître aux Galates (4 : 4), il déclare : « Mais, lorsque les temps ont été accomplis, Dieu a envoyé son Fils, né d'une femme. » Jésus lui-même n'a jamais fait allusion à sa « naissance miraculeuse ». La scène du Temple est aussi éloquente sur le sujet. Lorsque les parents de Jésus le retrouvent parmi les docteurs de la Loi après trois jours de recherches, il leur déclare : « Ne saviez-vous pas que je dois m'occuper des affaires de mon Père ? » Et Luc fait ce commentaire : « Mais eux ne comprirent pas la parole qu'il venait de dire. » Comment imaginer qu'un couple qui aurait reçu la visite de deux anges fût à ce point ignorant du message exprimé par leur fils ? Par ailleurs, dans son Évangile, Jean fait dire à Philippe cette phrase sans équivoque : « Nous avons trouvé celui de qui Moïse a écrit dans la Loi et dont les prophètes ont parlé, Jésus de Nazareth, fils de Joseph. » Il est plus que probable que la conception virginale fasse partie des théologoumènes, c'est-à-dire des idées théologiques présentées sous forme d'événements historiques. L'Ancien Testament pullule de ce type d'approches. Ajoutons (comme les textes l'indiquent) que les frères et les sœurs de Jésus ne croyaient pas en lui pendant son ministère public, ce qui ne semblerait guère vraisemblable s'ils avaient été au courant de sa conception miraculeuse. En vérité, tant Luc que Matthieu ont tenté d'asseoir la légitimité messianique de Jésus en faisant allusion à la prophétie d'Isaïe (7 : 14) : « C'est pourquoi le Seigneur lui-même vous donnera un signe, voici, la jeune fille deviendra enceinte, elle enfantera un fils, Et elle lui donnera le nom d'Emmanuel. » Or, on le voit bien, même en s'appuyant sur ce verset, la conception virginale est infondée. Isaïe dit bien : « La jeune fille deviendra enceinte, elle enfantera un fils. » Détail curieux, lorsque l'enfant naît, Joseph ne lui donne pas le nom d'Emmanuel, mais opte pour celui de Jésus, allant ainsi à l'encontre des recommandations de l'ange Gabriel.

L'affirmation de Marie – « Aussi vrai qu'existe le Seigneur, je suis pure devant Sa Face et je n'ai pas connu d'homme » – n'a rien d'inconcevable. L'hymen est une muqueuse qui n'obture que partiellement l'orifice du vagin et ne protège pas contre les grossesses. S'il peut laisser passer le flux menstruel, il peut aussi laisser passer dans l'autre sens les spermatozoïdes et, par conséquent, la fécondation est possible. De toute façon, l'ambiguïté de cette grossesse « miraculeuse » est exprimée sans équivoque dans les Synoptiques.

11. Massacre des innocents ?

On peut être surpris de ne voir aucune allusion au « massacre des innocents ». C'est tout simplement parce qu'il n'a jamais eu lieu que dans l'esprit de Matthieu. L'historien juif Flavius Josèphe (de son vrai nom Yossef ben Matityahou) a recensé minutieusement les événements qui se sont déroulés sous Hérode le Grand, et à aucun moment il n'évoque, ni de près ni de loin, un infanticide collectif. D'autre part, si une action aussi tragique s'était produite, il est impensable que ni Marc, ni Luc, ni Jean n'aient jugé utile de la rapporter. Par conséquent, la célèbre fuite en Égypte n'a pas eu lieu d'être.

12. Ben Pantera

À Bingen, ville d'Allemagne nichée dans la vallée moyenne du Rhin, la tombe de ce légionnaire a bien été découverte en 1859, lors de la construction d'une ligne de chemin de fer. Sur la pierre tombale, on distingue une inscription latine partiellement effacée : « Ci-gît Tiberius Julius Abdes Pantera, né à Sidon, mort à 62 ans. » Et un mot dont il ne reste que les lettres E.X.S. Certains spécialistes font souvent le lien entre les traditions juives concernant une personne nommée « Ben Pendera » ou « Ben Pantere » et une thèse défendue par Celse, auteur païen du IIᵉ siècle, dans une polémique contre le christianisme intitulée le *Discours vrai* (*Alethès logos*), vers 178 après J.-C. L'œuvre de Celse a été perdue, mais nous possédons de larges extraits cités par l'écrivain ecclésiastique Origène, auteur d'une célèbre riposte, le *Contre Celse*, vers 248 après J.-C. En 1.28.32 du *Contre Celse*, Origène raconte que Celse avait appris d'un Juif une histoire se rapportant à la naissance illégitime de Jésus. Cependant, il faut noter que ce récit fut d'abord attesté dans les milieux juifs de la diaspora et jamais chez les Juifs palestiniens, et qu'il n'apparaît qu'au IIᵉ siècle. Par conséquent, tout porte à croire qu'il pourrait s'agir d'une parodie polémique juive du récit chrétien de la conception virginale, notamment tel qu'il est présenté dans l'évangile de Matthieu.

13. Sur la chronologie de la crucifixion

Selon Marc (15 : 34), Matthieu (27 : 46), Luc (23 : 44), Jésus aurait rendu l'âme au cours de la neuvième heure (15 heures). Il a été condamné par Pilate vers la sixième heure (midi), Jean

(19 : 4). S'ensuit la montée jusqu'au Golgotha. On peut considérer qu'elle a duré environ une heure. À quoi il faudrait ajouter les préparatifs liés à la crucifixion. Jésus ne serait donc resté en croix que de 13 h 30 à 15 heures.

14. Sur l'allusion de Judas à propos des épées acquises par les apôtres

Judas ne fut pas le seul à s'armer. Simon-Pierre fit de même, puisque c'est lui qui dégaina le soir de l'arrestation de Jésus et trancha l'oreille du chef des miliciens du Temple. « Et ils dirent : Seigneur, voici deux épées. Mais il leur dit : "Cela suffit." » (Luc, 22 : 36-38.)

15. Sur la dernière Cène

Historiquement, l'image d'Épinal qui consiste à représenter Jésus présidant une table en forme de U est à l'opposé de la tradition judaïque de l'époque. Les archéologues du musée de Jérusalem ont recréé un repas de Pâque tel qu'il est clairement décrit par Flavius Josèphe : si l'on mangeait effectivement sur des coussins ou des matelas disposés en U, en revanche la place la plus importante était toujours située sur le *côté latéral gauche*, jamais au centre.

REMERCIEMENTS

Nombre d'amis et de proches m'ont conseillé et soutenu tout au long de l'écriture de ce livre. Mon épouse, Danielle, contrainte pendant plus de deux ans de vivre en ménage à trois avec le Galiléen. François Busnel, premier confident qui m'a encouragé à me lancer dans ce projet un peu fou. Laurent Theis, l'ami, qui par sa maîtrise de l'histoire, m'a permis d'éviter de nombreux écueils. Stéphanie Chevrier, pour ses précieux conseils. Laurence Vidal, dont la relecture studieuse du manuscrit me fut ô combien indispensable. Karin Hann, qui a bien voulu partir à la chasse aux imprécisions masquées. Françoise Chaffanel, ma directrice littéraire, qui, par son enthousiasme, m'a prodigué l'énergie vitale. Et enfin, Richard Ducousset, mon éditeur, qui, bien que conscient des embûches qui nous attendaient, m'a accordé ce à quoi tout écrivain aspire : la liberté de traiter en toute liberté du thème de son choix.

DU MÊME AUTEUR

Aux Éditions Albin Michel

LES SILENCES DE DIEU, roman, 2003.

LA REINE CRUCIFIÉE, roman, 2005.

Aux Éditions Gallimard

L'ENFANT DE BRUGES, roman, 1999.

À MON FILS À L'AUBE DU TROISIÈME MILLÉNAIRE, essai, 2000.

DES JOURS ET DES NUITS, roman, 2001.

Aux Éditions Denoël

AVICENNE OU LA ROUTE D'ISPAHAN, roman, 1989.

L'ÉGYPTIENNE, roman, 1991, prix littéraire du Quartier latin.

LA POURPRE ET L'OLIVIER, roman, 1992.

LA FILLE DU NIL, roman 1993.

LE LIVRE DU SAPHIR, roman, 1996, prix des Libraires.

Aux Éditions Pygmalion

LE DERNIER PHARAON, biographie, 1997

Composition IGS
Impression Bussière, septembre 2007
Éditions Albin Michel
22, rue Huyghens, 75014 Paris
www.albin-michel.fr
ISBN : 978-2-226-18090-2
N° d'édition : 25437 – N° d'impression : 072982/4
Dépôt légal : octobre 2007
Imprimé en France.